Y0-CBC-079

Osuna
12

ASÍ EMPEZÓ TODO

Enrique Santos Calderón

ASÍ EMPEZÓ TODO

EL PRIMER **CARA A CARA SECRETO** ENTRE EL GOBIERNO Y LAS FARC EN LA HABANA

Así empezó todo

Edición, diseño y diagramación
Equipo editorial Intermedio Editores
Diseño de portada
Beiman Pinilla
Caricaturas
Osuna

Intermedio Editores S.A.S.
Av Jiménez No. 6A-29, piso sexto
www.circulodelectores.com.co
www.circulodigital.com.co
Bogotá, Colombia
Primera edición, noviembre de 2014

ISBN: 978-958-757-446-3

Los editores quieren agradecerle al señor Héctor Osuna su gentileza
al cedernos el permiso de usar las ilustraciones que acompañan esta edición.

Impresión y encuadernación
Nomos Impresores
Diagonal 18 Bis No 41 - 17

A B C D E F G H I J
Impreso en Colombia - *Printed in Colombia*

Contenido

Para Gabo, gran artífice en la sombra de todos
los procesos de paz en Colombia.

«Es más fácil hacer la guerra que la paz».

GEORGES CLEMENCEAU (*discurso de Verdún, 1919*)

«¿Cómo comienzan las guerras? Los políticos les mienten a los periodistas y luego creen lo que leen».

KARL KRAUS (*Aforismos, 1909*)

«Nunca negociemos por temor, pero nunca temamos negociar».

JOHN F. KENNEDY (*discurso de posesión, 1961*)

«Si dejamos de echar tiros, ¿hablarían con nosotros?».

PEDRO ANTONIO MARÍN (*Manuel Marulanda, Tirofijo, durante los diálogos del Caguán, 1999*).

«Al fondo de la selva oscura / alcanza a verse la ciudad / y el camino pavimentado / por donde todos volverán».

PABLUS GALLINAZO (*Primavera del siglo XXI*)

Buenos son Santos, pero no tantos. © Osuna, 2013.

Breve advertencia

Suelto estas hojas un poco al aire. Corriendo el riesgo de que la borrasca del conflicto se las lleve hacia la irrelevancia.

Fueron escritas al calor de los hechos del comienzo. De cómo viví y sentí, hace ya casi tres años, el primer cara a cara secreto del Gobierno y las Farc en La Habana. Es un texto testimonial sobre ese momento, circunscrito a las veinticuatro horas iniciales de la negociación.

La segunda parte de este libro son reflexiones sobre la marcha actual de los diálogos de paz. Sabiendo que lo «actual» es del todo frágil en un proceso que cada día trae su sorpresa. Y corriendo el otro riesgo de que sean leídas con el lente de la consanguineidad. La del hermano, que mal puede ser objetivo.

Mal peor sería, creo, que tal prevención fuera pretexto para no escribir sobre un experimento de paz que tuve el privilegio de conocer de primera mano, y en su misma gestación.

Es muy probable que estas páginas no dejen contentos al Gobierno, ni a la guerrilla, ni a los adversarios del proceso, y tampoco se trata de eso. Pero si contribuyen a comprender mejor la encrucijada que vivimos, habrán volado más allá de la borrasca.

Antecedentes a vuelo de pájaro

Aún cuesta trabajo creerlo. A comienzos del 2012, hace casi tres años, el Gobierno de Colombia y las Farc hablaron en total secreto durante seis meses en Cuba. Y nadie se enteró.

De no haber sido así, el proceso de paz que hoy se desarrolla no existiría. Tal era el ambiente del momento: los permanentes choques militares, la palpable hostilidad de los colombianos a acercamientos con la guerrilla y la radical oposición del uribismo a cualquier iniciativa en este sentido.

Parecía casi imposible que en un país tan propenso al chisme, con un periodismo tan acucioso y una opinión tan prevenida, no se produjera la fatal filtración. En este caso, la chiva que mata.

No la hubo. De ningún lado. Y el respeto mutuo al secreto acordado fue clave en la lenta construcción de confianza entre dos adversarios que hacía diez años no se veían las caras sino a través de la mira del fusil.

Es así como, en medio de un insólito hermetismo, a partir del 24 de febrero del 2012 y durante seis meses, Gobierno y Farc se sentaron 69 veces a la mesa, en diez sesiones formales, hasta firmar, el 26 de agosto, el Acuerdo General de La Habana para la terminación del conflicto armado en Colombia.

No se había secado la tinta en el papel cuando dos medios (RCN y Telesur) divulgaron el hecho y apartes textuales del acuerdo. Antes de que el Gobierno y las Farc lo hicieran público en la fecha acordada, que era una semana después. Aún se desconoce de dónde provino esa filtración, que habría tenido efectos funestos antes de la firma. Algún día se sabrá.

Todo esto comienza para mí cuando, ya como presidente electo, Juan Manuel Santos habla por primera vez de ponerle fin a la violencia política que hace décadas desangra a Colombia. En ese momento no se refiere textualmente al «conflicto armado», término que el gobierno Uribe había purgado del lenguaje oficial. Pero sí es evidente que no descarta la posibilidad de explorar contactos con la guerrilla. Y eso me parece interesante y audaz, en un momento en el que la opinión pública no quiere ni oír hablar de unos grupos terroristas que considera arrinconados y casi liquidados.

Entender que no era así, y que la pretensión de una total victoria militar no es factible, y quizás ni deseable, es lo que abre las puertas de este nuevo diálogo con una organización armada que lleva más de cincuenta años echando plomo y que ya entiende, también, que nunca llegará al poder por medio del fusil.

Por ese entonces yo tengo poco contacto con mi hermano. Para nada había participado en su campaña electoral, ni en sus proyectos presidenciales. Es más, una vez retirado de El Tiempo, tomo la decisión de irme una temporada del país para dedicarme a un libro de memorias y alejarme de los trajines e intrigas que acompañan la condición de lo que mis amigos burlones llamaban «primer hermano de la Nación». Para la votación presidencial de mayo del 2010 me encuentro instalado con mi esposa, Gina, en Miami, donde permanezco, con idas periódicas a Bogotá, hasta fines del 2011.

En una de esas idas hablo con Juan Manuel Santos y le digo que lo apoyaría en cualquier gestión relacionada con sus inquietudes de paz. Me comenta que le gustaría contar conmigo, ya que tengo experiencia en estas lides y conozco personalmente a varios líderes históricos de las Farc y del Eln. A comienzos de agosto del 2010 viajo a Bogotá para asistir a la inauguración presidencial y me pide que le envíe de afán algunas ideas sueltas sobre el tema para su discurso de posesión (en el que anunciaría que no estaba cerrada la puerta del diálogo con la guerrilla).

Ese discurso, en esa lluviosa tarde del 7 de agosto, me deja en claro que el nuevo gobierno tendría un perfil propio, con agenda política y social diferente, y que la búsqueda de una salida negociada del conflicto armado va en serio. Es cuando me doy cuenta de que puede iniciarse un experimento de paz diferente de los anteriores, al cual no debo ser ajeno.

Mal podría serlo, tratándose de una realidad que ha ocupado más de treinta años de mi vida profesional y personal. Desde comienzos de los años setenta, con la fundación del Comité de Solidaridad con los Presos Políticos y de la revista *Alternativa*, pasando por los ochenta y noventa y encuentros diversos con jefes del M-19, Epl, Farc y Eln en distintos rincones del país, hasta comienzos del 2000, cuando hablé por última vez, diez horas seguidas, con Alfonso Cano en el Caguán.

Durante todos esos años y encuentros, logré conocer bien lo que se denominaba genéricamente el «movimiento armado». Vale decir, el fenómeno de la guerrilla colombiana, en sus distintas expresiones ideológicas y organizativas: la de filiación prosoviética, como las Farc; o prochina, como el Epl; o procubana, como el Eln; la de raíces indígenas, como el Quintín Lame, o urbanas, como el M-19... Conocí a sus dirigentes y fundadores, muchos de ellos muertos en combate o en los feroces enfrentamientos internos que estos grupos protagonizaron, a lo largo de décadas llenas de sangre y pólvora, de dolor y muerte, con las dosis de heroísmo y fanatismo, de abnegación y de degradación que caracterizaron al movimiento guerrillero más antiguo del continente, y su obsesión por llegar al poder por la vía de las armas. Es una realidad trágica y violenta, que forma parte integral de la historia de Colombia del último medio siglo. Por eso resulta tan contraevidente y absurdo negar la existencia de un conflicto armado con bases sociales y raíces ideológicas, más allá de los macabros niveles de degradación a los que haya llegado. Pero esa es otra historia.

En septiembre del 2010, Juan Manuel Santos me pone al tanto de cómo va el asunto. Ya existen contactos muy exploratorios con emisarios de las Farc, heredados de largas y ya bien documentadas gestiones que había iniciado el presidente Uribe y luego sufrieron un ruidoso rompimiento. Me dice el Presidente, recién posesionado, que en efecto yo podría jugar un papel importante, y que les propondrá mi nombre como su delegado personal para el primer encuentro formal. Poco después me comenta que a ellos esto les había parecido una positiva muestra de confianza y compromiso del Gobierno.

A partir de ahí, quedo seriamente embarcado en el proceso y paso a formar parte de un equipo compuesto por cinco funcionarios del Gobierno: Sergio Jaramillo, consejero para la Seguridad; Frank Pearl, ministro de Ambiente; Alejandro Eder, consejero para la Reinserción; Jaime Avendaño y Lucía Jaramillo, funcionarios de la Presidencia con experiencia en negociación y relaciones con la comunidad.

Se piensa en un comienzo –primera de varias ilusiones– que la cosa marchará con cierta rapidez; que las Farc están listas y el acuerdo sobre una agenda básica no demorará mucho. Hay comunicación con un emisario de Pablo Catatumbo, el economista vallecaucano Henry Acosta, quien sirvió de enlace de las Farc con el gobierno Uribe del 2004 al 2006 y se reunió varias veces con el expresidente.

Catatumbo es en ese entonces el hombre de confianza de Alfonso Cano, comandante de las Farc desde la muerte de Manuel Marulanda, en el 2008, y a través de Acosta hay prolífico intercambio de cartas con el gobierno Santos. Que las Farc están listas a reunirse para encontrar la salida del conflicto; que están muy interesadas en lo que está diciendo y haciendo Santos; que la paz es un anhelo de todos los colombianos... Más allá de quién «invitó» a quién a conversar, lo crucial de este momento –mediados del 2010– es que se confirma la disposición de ambas partes a sentarse a la mesa. Sin hablar de vencedores o vencidos.

La primera larga discusión, a distancia, es sobre el sitio del encuentro. Las Farc insisten en que sea en el país o, en su defecto, en Venezuela u otro territorio cercano, como Brasil o Ecuador. Por obvias razones, ni Colombia ni un país vecino resultan aceptables para el Gobierno y el tema da lugar a un largo tire y afloje. Desde un comienzo pensamos que el país ideal es Cuba, por razones de seguridad, confidencialidad, aislamiento y por la probada seriedad de los cubanos en estas materias.

En enero del 2011 se plantean los primeros contactos directos entre delegados de Gobierno y Farc, en la frontera con Venezuela, y a partir de ahí se inicia un forcejeo de meses sobre temas logísticos: sede, tamaño de las delegaciones, escollos jurídicos, ubicación, coordenadas y traslados de los delegados de las Farc, entre otros.

Para estas reuniones, el Gobierno delega a Jaime Avendaño y Alejandro Eder; y las Farc, a Rodrigo Granda y Andrés París, veteranos cuadros y negociadores de esa organización (poco después, Granda ingresa al Secretariado y es remplazado por Marcos Calarcá). Los encuentros cuentan desde un comienzo con la activa colaboración del gobierno de Chávez. Pese a la reiterada insistencia en que debe hablarse en Colombia «de cara al pueblo» (rezagos del Caguán), las Farc terminan aceptando que la primera reunión formal sea confidencial y en La Habana.

La cosa comienza a caminar, entre temores y tropiezos. Y en medio del mayor secreto. Con el expresidente Uribe alebrestado y alertado, con las Fuerzas Militares por principio reacias a concesiones a un histórico enemigo al que seguía atacando por tierra y aire, y con la guerrilla emboscando por doquier, cualquier divulgación desbarataría lo que se está armando.

En las reuniones fronterizas se logran acuerdos iniciales: escogencia de países garantes (Cuba y Noruega,) y aceptación por las Farc de la Cruz Roja Internacional como garante para la movilización de quien designa como jefe de su delegación: Mauricio Jaramillo (Luis Alberto Parra), también conocido como el Médico, sucesor del Mono Jojoy al frente del poderoso Bloque Oriental, y de una acompañante (que resultó ser la viuda de Marulanda). En el mes de agosto del 2011 se firman actas y protocolos sobre estos encuentros.

Tres meses más tarde, el 4 de noviembre, se produce la muerte de Alfonso Cano, dado de baja en un operativo militar en el Cauca. El hecho causa gran impacto y hace temer por el futuro del proceso en gestación. Los contactos se interrumpen por un tiempo, pero al cabo de algunas semanas las Farc hacen saber, a través de Catatumbo, que, fieles al legado de Cano, prosiguen en la búsqueda de un diálogo de paz. Me impresionó que la muerte de su comandante no hubiera producido mayor traumatismo en las Farc, y su decisión de seguir adelante sugería una de dos: o estaban muy golpeadas y necesitaban un respiro, o su compromiso con la paz era más profundo de lo pensado.

Al mismo tiempo, en Bogotá adelantamos durante esos meses reuniones permanentes del equipo para analizar estrategias de lo que se convino en llamar «primer encuentro exploratorio» en La Habana y discutir la propuesta de agenda que había trabajado Sergio Jaramillo. En decenas de reuniones, en residencias de unos y otros, en hoteles discretos, en fincas cercanas a Bogotá, desmenuzamos todos los ángulos de la posible agenda, visualizamos escenarios de negociación, asignamos roles y aterrizamos tácticas. En varios de estos encuentros contamos con las valiosas luces de un puñado de asesores internacionales expertos en negociación de conflictos.

En la definición de la estrategia del Gobierno algunas cosas quedan muy claras: el objetivo central de las conversaciones es poner fin al conflicto armado, y no entrar en interminables disquisiciones sobre sus causas objetivas o subjetivas; no se negocia el modelo económico del Estado ni el estatus de las Fuerzas Armadas; no habrá treguas bilaterales hasta que se haya acordado lo esencial, y «nada está acordado hasta que todo esté acordado». Se trata, por supuesto, de no repetir los errores cometidos por el Estado colombiano en sus negociaciones de los últimos treinta años con la guerrilla, y de tener muy presentes las lecciones del Caguán.

Definidos esos principios generales, es necesario asumir ahora los desafíos concretos inmediatos.

Un complejo y angustioso reto logístico es el de llevar a La Habana al jefe de la delegación de las Farc. «La extracción de Mauricio» llamamos a la delicada y ultrasecreta operación que significa trasladar de la selva del Guaviare a la capital de Cuba a uno de sus máximos jefes militares, en medio de una reactivación de ataques guerrilleros en distintas zonas del país y de un hostil y polarizado clima de opinión. A lo que se suma la cuasiparanoica desconfianza de las Farc, luego de la «Operación Jaque», con cualquier cosa que tuviera que ver con montarse en un helicóptero.

Crece con los días la obsesión de confidencialidad. Si esto se hace público, sería un escándalo político mayor. Y un papayazo enorme para el uribismo, que ya viene denunciando el ánimo «apaciguador» de Santos con el terrorismo. El máximo secreto es imperativo. So pena de socavar la credibilidad política de un Presidente que cada tercer día reitera que no habrá diálogo alguno con las Farc hasta que no den muestras de su voluntad para dejar las armas.

En la medida en que avanzan los contactos, el tema se vuelve más delicado. Preparamos incluso borradores de declaraciones que haría Juan Manuel Santos en caso de que se filtren detalles de lo que está sucediendo.

En toda esta etapa de preparativos es clave el aporte del grupo de asesores extranjeros expertos en negociación. Nos reunimos por lo menos diez veces con ellos, en algunas ocasiones con el Presidente, para discutir documentos, analizar la coyuntura nacional e internacional y estudiar conflictos armados resueltos en países como Irlanda del Norte, El Salvador, Guatemala, Nepal, etcétera.

En la última reunión, celebrada en la casa presidencial Hatogrande, poco antes de emprender vuelo hacia La Habana, se acuerda que yo debo hablar de primero a nombre del equipo del Gobierno en el acto de instalación. Se insiste en la importancia de establecer contacto directo con ellos, de hacer buen uso de los recesos (los *coffee breaks*) para conversar, de uno a uno, por fuera del rigor de la mesa y de aprovechar que los conozco de vieja data, y ellos a mí.

Se trata, en este caso, de enfatizar mi condición de hermano y delegado personal del Presidente y de antiguo periodista de izquierda, que había simpatizado incluso con la lucha armada y conocido personalmente a Marulanda, Jacobo Arenas, Alfonso Cano, Joaquín Gómez y Pablo Catatumbo. Acepto instalar la reunión, pero aclaro que no seré jefe del equipo negociador, ni mi condición de miembro de la delegación me convierte en funcionario del Gobierno. Juan Manuel Santos nombra días después a Sergio Jaramillo cabeza del equipo.

Complicaciones de toda índole, fáciles de imaginar, retrasan una y otra vez la complejísima «extracción de Mauricio». Hasta que por fin, en febrero del 2012, toda la delegación de las Farc se encuentra en La Habana y el día 24, a las diez de la mañana, arrancan los encuentros exploratorios para construir una agenda de negociación.

Ha sido un relato a vuelo de pájaro de algunos antecedentes de la primera reunión entre las dos delegaciones. Las páginas que siguen se limitarán estrictamente a eso: a las veinticuatro horas que rodearon el inicial cara a cara. No entro en lo que vino después, durante esos seis tensos meses de diálogos secretos, porque a mucho de lo allí discutido aún lo cubre el acuerdo –cada vez más frágil– de confidencialidad.

En una segunda parte de este libro incluyo también reflexiones posteriores sobre la marcha actual del proceso de paz. Pueden resultar pertinentes y en nada contradicen la reserva acordada sobre aspectos sensibles de lo que se discute a puerta cerrada en la mesa de negociación. Ya hace tiempo el mundo entero sabe que en La Habana se dialoga, pero las conversaciones no están abiertas al público o a la prensa por elementales razones. Basta imaginar cómo sería el inmanejable circo mediático, con cámaras y micrófonos sobre la mesa.

Otra cosa es la avalancha de información que rodea al proceso desde que este se hace público, el 27 de agosto del 2012. La iniciativa la toman las Farc, que desatan una verdadera ofensiva publicitaria con incesantes ruedas de prensa, entrevistas y comunicados con todos sus puntos de vista sobre la solución del conflicto.

Es tan intensa la súbita visibilidad de esta guerrilla, que gracias al proceso recobra protagonismo público, que el Gobierno se ve obligado a hablar más sobre el mismo. En parte para contrarrestar los avances propagandísticos de las Farc, pero también por una necesidad real de hacer más pedagogía en torno de una negociación sobre la cual la gente mantiene muchos interrogantes. Decidí escribir este texto porque creo que la opinión colombiana quiere y merece saber más sobre cómo se gestaron y cómo arrancaron los diálogos de La Habana.

Más de tres años después de que se iniciara el proceso este es, pues, el testimonio de quien desde mediados del 2010 participa en su primera etapa confidencial y se retira del mismo el 27 de agosto del 2012, una vez hecho público el Acuerdo General. Lo hice porque no me parecía correcto ni conveniente, siendo hermano del Presidente, continuar como su delegado personal y miembro de una delegación gubernamental, en la segunda etapa de unas negociaciones más formales y públicas del Estado con la guerrilla.

Se metió Chávez. © Osuna, 2012.

Primera parte

Rumbo a La Habana

El comienzo del cara a cara

En la mañana del 23 de febrero del 2012, en medio del mayor sigilo, los seis miembros del equipo abordamos un viejo avión de la Policía Antinarcóticos rumbo a La Habana. Me cuesta trabajo creer que voy en esta misión hacia lo desconocido. La verdad es que no sabemos cómo puede resultar. Ni qué esperar de la contraparte.

Apenas despegamos comienzo a repasar las notas que he tomado estos meses sobre cómo debería desarrollarse idealmente el primer encuentro. Se trata de demostrar desde el principio que el Gobierno va en serio y que estas conversaciones serán muy diferentes de las anteriores. No debemos parecer muy afanosos ni ambiciosos, pero sí establecer un procedimiento y reglas del juego básicas. Y, en lo posible, desarrollar alguna «química personal».

Hay varias cosas que deben quedar claras: un regreso a la agenda del Caguán es inviable; el factor tiempo es importante, pues el espacio político para un diálogo-negociación se está reduciendo y los enemigos del mismo ganan terreno; este primer encuentro es exploratorio, para establecer si hay disposición de las Farc de renunciar a la violencia (y por ende condiciones para volverse a reunir); un eventual proceso de negociación de agenda no será público y debe tener plazos acordados.

Debemos tratar, también, de alinear intereses y establecer narrativas compatibles (que recojan tanto la historia y luchas de las Farc como las obligaciones y deberes del Estado), para facilitar decisiones conjuntas que conduzcan a una salida realista y civilizada del conflicto.

Me retumba en la cabeza una recomendación reiterada de uno de los asesores externos, que jugó papel crucial en el acuerdo del gobierno británico con el Ejército Republicano Irlandés (Ira): armarse de paciencia frente a las previsibles arengas ideológicas contra el Estado capitalista, la oligarquía guerrerista, la política paramilitar... Darles espacio para el desfogue, no empujarlos a tomar decisiones, pero sí mucha claridad en que todo esto es porque asumimos que de lo que se trata es de ponerle fin al conflicto armado.

Hace quince años no voy a Cuba y, en medio de dudas sobre el papel preciso que voy a cumplir, siento una mezcla de curiosidad, nerviosismo y aprensión. Pero nada es casual, me digo. Con mi pasado no del todo absolutorio a cuestas, con tanta jodencia de tantos años sobre la paz y el conflicto, lo que me ha correspondido es tal vez lógico, ineludible y necesario. Deber político, obligación personal, compromiso moral... lo que sea.

Todo eso me cruza la mente en las largas horas de vuelo hacia el encuentro con las Farc en la capital emblemática de la izquierda revolucionaria latinoamericana. Pienso en la primera vez que vine, en 1974, como jurado del Premio Casa de las Américas, cuando Cuba aún era símbolo de la esperanza de cambio continental. Quién se iba a imaginar que cuarenta años después regresaría en este plan.

Luego de cinco horas de vuelo, con tanqueada furtiva en Barranquilla (el avión es muy viejo), aparece a los lejos, en medio de un cristalino mar azul turquesa, la legendaria isla. El «primer territorio libre de América», como proclamaban las arengas de Radio Habana de los años sesenta. Ingresar de nuevo a territorio cubano me emociona, y sobrevolar la bahía de Cochinos me evoca ambiguos recuerdos de los años heroicos de la Revolución. Desde el aire se divisa un paisaje muy verde, pero desolado e inmóvil; buenas carreteras y pocos carros. Ya sobre La Habana, alcanzo a ver mansiones con piscinas vacías.

Aterrizamos finalmente en el aeropuerto José Martí, adornado con sus vistosos colores amarillo y verde y un gran eslogan que proclama: «Patria es humanidad». El piloto se equivoca de terminal y no hay nadie para recibirnos, lo que genera un enredo burocrático de dos horas. Caía el sol cuando salimos en tres modernos carros negros oficiales hacia El Laguito, antigua y exclusiva zona residencial de la vieja oligarquía habanera, donde hoy el Gobierno aloja a dignatarios extranjeros y celebra reuniones confidenciales.

En el trayecto veo imágenes de la misma Habana austera de antes: los viejos carros americanos, encantadoras reliquias de los años cincuenta, rodando por calles semivacías (también modelos menos viejos de Europa oriental: Skodas polacos, Ladas checos, motos rusas con puesto para acompañante, que parecen salidas de la Segunda Guerra Mundial); gente caminando sin premura o esperando el colectivo; ni una pancarta alusiva al «socialismo o muerte»; afiches ya descoloridos del Che. Otros menos desteñidos de Chávez llaman a «hacer realidad los sueños de Martí y de Bolívar». Una enorme consigna mural me impacta: «Por los humildes y siempre humildes».

Saltan a la vista la parsimonia y la vestimenta de la gente. En medio de una visible penuria que conmueve, hay una implícita dignidad en las carencias de un pueblo inteligente y recio. Tras su extroversión caribeña se alcanza a percibir también cierto aire de resignación. Me pregunto hasta dónde la escasez se debe a la iniquidad del bloqueo económico impuesto por Estados Unidos y hasta dónde a burocráticas ineficiencias del sistema político que hace más de cincuenta años rige con mano dura a la isla.

Rumbo a nuestro destino, en un bello atardecer, a lo largo de amplias avenidas flanqueadas de frondosos árboles y destartaladas edificaciones, no deja de sorprender la sensación de tranquilidad, de tiempo detenido, que irradia La Habana. El aire transparente y puro, la ausencia de trancones, el encanto marino de El Malecón y sus olas embravecidas, el ambiente casi provincial de la ciudad contribuyen a la peculiar sensación de saberse en una sociedad comunista en las barbas del Tío Sam.

Ya es de noche cuando llegamos a El Laguito, un verde enclave de grandes mansiones que será nuestro lugar de residencia y reuniones. La nuestra es la Casa Veinticinco; de seis alcobas, tres salones, amplio comedor y gran jardín. Hay que desempacar y organizarse rápido porque para las siete y media los garantes noruegos han organizado una recepción informal para «romper el hielo» (con copa de vino blanco y salmón traído de su país), donde las delegaciones –la de las Farc había llegado antes– puedan conocerse antes de iniciar las sesiones formales al día siguiente.

Es una buena idea de los representantes de Noruega, país ducho en estas materias, que dedica gran parte de su presupuesto nacional a promover iniciativas de paz en el mundo. Cuenta con el obvio beneplácito de los garantes cubanos. Nosotros aceptamos de inmediato. Existía una lógica expectativa por conocer rápidamente a los tipos. Ver las caras, mirar a los ojos y estrechar la mano de quienes tendríamos al otro lado de la mesa por quién sabe cuánto tiempo.

Fatigados, pero inquietos y expectantes, hacemos antes de salir una veloz reunión del equipo para afinar detalles. Como los de procurar hablar por aparte con cada uno de ellos, ser cordiales sin caer en francachelas caguaneras, llegar muy puntuales y tener presente que, más allá de su informalidad, el acto de esta noche será una inicial «medida de aceite». El comienzo del cara a cara.

Las dos delegaciones llegamos casi al mismo tiempo al sitio de la reunión. Es en la llamada Casa de Piedra, una amplia y acogedora edificación de dos pisos (obviamente de piedra) ubicada sobre una pequeña colina, que había pertenecido a un hijo de Batista. Se encuentra a pocas cuadras de la nuestra y será también sede de las reuniones.

La delegación de las Farc, compuesta por Mauricio Jaramillo, Rodrigo Granda, Andrés París y Marcos Calarcá, aparece acompañada de dos mujeres: Sandra, la viuda de Marulanda (nos enteramos después), y otra cuyo nombre no recuerdo, y dedujimos que debía de ser una operadora de radio, aunque no la volvimos a ver. Nosotros somos seis, ellos también, y con los cuatro garantes noruegos y cubanos sumamos dieciséis personas.

Cordial, pero no efusivo, apretón de manos. Conversación anodina y amable sobre el clima y tópicos internacionales, pasabocas, bebidas y, poco a poco, disgregación en grupos más pequeños. Yo me dirijo hacia Andrés París, el único al que conocía de las épocas del Caguán. De nombre Emilio Carvajalino, un hermano suyo, Rubén, trabajó conmigo tres años en *Alternativa*. Otros dos hermanos, militantes del M-19, murieron en un tiroteo con la Policía en Bogotá en los años ochenta. Hablamos de eso, por supuesto, y de varios otros temas durante media hora. París es un tipo bien informado, conversador agradable, que salpica su dura línea política con ocasionales brotes de humor negro.

Luego tengo breves diálogos con Mauricio Jaramillo y Rodrigo Granda. El primero, grueso y reservado, entre taciturno y solemne, con aire de guerrero. El segundo, vivaz y locuaz; elocuente, coherente y muy paisa. Al final, sobre las ocho y media, hablo muy de paso con Marcos Calarcá, un tipo inteligente y socarrón.

Aunque se sabe que esta noche no es para entrar en materia, con todos brota en algún momento el tema de la importancia histórica de lo que estamos a punto de acometer.

El único representante del ala militar de las Farc es Mauricio, o el Médico, comandante del Bloque Oriental y no por casualidad jefe de la delegación. Los otros miembros, Granda, París y Calarcá, son cuadros políticos más conocidos por su desempeño en encuentros de paz y foros internacionales que como símbolos de una guerrilla campesina. Más adelante, en la segunda fase, se integrarían a la delegación de las Farc jefes con trayectoria militar como Iván Márquez, Pablo Catatumbo, Fabián Ramírez, entre otros. Salvo el Médico, que fue remplazado por Márquez al iniciarse en Oslo la segunda fase, los tres miembros originales han continuado un eficaz y activo papel en La Habana.

De regreso a la Casa Veinticinco, nos sentamos a cenar, comentar minucias de la reunión y a repasar los objetivos del día siguiente. Uno fundamental, después de las intervenciones de rigor de la sesión inaugural, será el de identificar los temas para la agenda y fijar algún tipo de ritmo para las reuniones, donde prime la noción de avanzar. «Sin afanes, pero avanzar» es la consigna que nos proponemos (sin imaginar que el concepto del ritmo resultaría tan diametralmente opuesto...). En aras de la agilidad, habrá que acordar que no es necesario aprobar actas de cada reunión. Más importante concretar un equipo técnico para temas puntuales, en la siempre complicada redacción de textos.

¿Qué se busca en el fondo? Un acuerdo marco sobre el fin del conflicto, avalado por garantes internacionales, con una agenda realista y un cronograma lo más concreto posible, que contemple mecanismos de implementación interna, de verificación externa y de refrendación ciudadana.

Es la estrategia general, que no debemos perder de vista en medio del cúmulo de delicados temas paralelos. Como el de reiterar desde el primer día que el Gobierno no cesará operaciones militares y que lo que suceda en el campo de batalla no debe interferir el desarrollo de las conversaciones. Se trata de blindar a la mesa del dolor y del ruido de la guerra, que pueden ser muy agudos. Todo eso y muchas otras inquietudes se agolpan en esta tensa noche de víspera... Si no se avanza, ¿se replantea? Si no hay buena fe, ¿nos levantamos? ¿Cómo comunicarse con ellos entre sesiones? ¿Cómo manejar eventuales filtraciones?

Son demasiados los interrogantes y demasiado el cansancio. Es tarde y más vale estar frescos para la jornada. Veremos hasta dónde se llega mañana...

24 DE FEBRERO: LLEGA EL MOMENTO

A las 10:30 en punto estamos sentados en una reducida y alargada mesa en la Casa de Piedra. Al frente, a menos de dos metros, los delegados de las Farc; y en los dos extremos, los garantes de Noruega (Dag Nylander y Elizabeth Slaattum) y de Cuba (Carlos Fernández de Cossio y Abel García).

La sesión introductoria se inicia con palabras de bienvenida del delegado cubano, Fernández de Cossio, diplomático con amplia experiencia internacional y en negociaciones de paz. El hombre va al grano: Cuba quiere brindar lo necesario: garantías de seguridad y discreción para llevar acabo el encuentro exploratorio. Es un honor para ellos que se lleven a cabo estos diálogos en su territorio. La paz de Colombia es prioridad para Cuba y hay precedentes de la participación cubana en este tipo de acercamientos.

La paz es de los colombianos y los garantes pueden apoyar y cooperar, pero no hacer la paz. Cuba cree en la integración latinoamericana, y para lograr esto se necesita la paz entre los países y dentro de los países. La paz de Colombia es necesaria para América Latina y para el Caribe.

Habla a continuación el delegado de Noruega, Dag Nylander, joven pero experimentado funcionario de su Cancillería, con mucho recorrido en el tema del conflicto armado colombiano.

Enumera entonces las razones de Noruega para participar en iniciativas de paz a nivel mundial: reducir el sufrimiento asociado a conflictos armados; convicción de que los conflictos se resuelven con diálogos; promoción de la paz a nivel mundial por razones de seguridad nacional propias. Las motivaciones de Noruega son tanto humanitarias como de interés propio.

La paz es una política de Estado de Noruega, con amplio apoyo de la sociedad. Su gobierno recibe muchas solicitudes de todo el mundo para promover iniciativas de paz. Antes de aceptarlas se evalúan varios puntos: motivaciones de las partes para entablar diálogos, coyuntura nacional e internacional que sea propicia para la paz, evaluación de quiénes son los otros garantes internacionales y evaluar si Noruega tiene alguna experiencia en el conflicto que hay que resolver y la voluntad política necesaria para acompañar el proceso hasta el final.

Noruega reconoce los riesgos políticos y personales que ambas partes han asumido para llegar a este encuentro exploratorio, y las felicita. El trabajo de su país es guiado por imparcialidad, transparencia y confidencialidad. Advierte que la imparcialidad no significa neutralidad frente a acciones moralmente cuestionables que puedan cometer las partes, de uno u otro lado.

Noruega no tiene la fórmula para llegar a la paz en Colombia. Se necesita un conocimiento profundo de las realidades del país. Gobierno y guerrilla tienen ese conocimiento y se espera que tengan la audacia para hacer la paz.

El Gobierno muestra sus cartas

El ambiente es tenso, pero cada vez más relajado. Hacia las once de la mañana corresponde la intervención de los voceros del Gobierno de Colombia. Primero, palabras del delegado personal del Presidente. Me llega el momento. Hablo como veinte minutos (aquí cablegráficamente resumidos, el lector puede leer el texto completo que preparé para la ocasión en los anexos, p. 169) y empiezo con un recuento de mi historia personal acompañando iniciativas de paz del pasado.

Desde comienzos de los ochenta, como miembro de la primera Comisión de Diálogo con el M-19 y el Epl, en el gobierno Betancur, hasta finales de los noventa en el Caguán, en reuniones separadas con Joaquín Gómez y Alfonso Cano, de la cúpula de las Farc. Hago énfasis en que a estos últimos les insistí respecto a que, con sus desafueros durante el despeje del Caguán, las Farc estaban derechizando al país e iban a elegir a Álvaro Uribe, pero no pareció importarles.

He sido testigo directo de demasiados años del eterno proceso de diálogos frustrados. Una acumulación de fracasos que debe terminar ya. Son muchas las decepciones. Mucha la sangre derramada. Y muchos los cambios que en el entretanto han sucedido.

Es de realismo elemental entender el nuevo entorno internacional, regional y nacional. En lo internacional, un complejo panorama jurídico que pone delicadas limitaciones legales al gobierno colombiano. En lo regional, un entorno muy favorable a esta iniciativa de paz. En lo nacional, un clima adverso a nuevos diálogos con la guerrilla y a cualquier reedición de las experiencias del Caguán.

Les recalco que la hostilidad interna es real (no manipulada por los medios) y que cuenta con sectores beligerantes e influyentes. No se pueden subestimar las fuerzas opuestas a un diálogo, ni el terreno que están ganando. El espacio político para una negociación puede cerrarse cada vez más.

Pero, al mismo tiempo, hay factores excepcionalmente favorables que ellos deben entender. Lo entiende Juan Manuel Santos, que se juega una carta arriesgada y peligrosa. Tiene la visión histórica de que en su gobierno puede cimentarse la paz en Colombia. Conozco a mi hermano. Es audaz y toma riesgos. Está dispuesto y por algo estamos aquí. Tiene mandato y capital político. Cuenta con gobernabilidad interna y credibilidad externa. Quiere invertirlas si encuentra disposición de ustedes. Si no, las invertirá en otras cosas. Este gobierno puede durar ocho años, pero no va a esperar indefinidamente.

En esta reunión, averigüemos si se puede, o no, vislumbrar la salida del conflicto armado. Existe una singular oportunidad, que puede ser la última. Aprovechar mientras dura esta excepcional coyuntura. Reconocer las nuevas realidades que ha introducido el Gobierno: viraje en política exterior, distanciamiento con Uribe, clima político diferente, reconocimiento del «conflicto armado», autocríticas del Estado, voluntad de corregir injusticias históricas...

Enfatizo el contexto regional favorable. Venezuela, Brasil, Ecuador, Bolivia, Argentina... Todos verían con buenos ojos que comenzaran diálogos de paz en Colombia. Les aseguro que Estados Unidos también y que Europa, ni hablar...

En el ámbito nacional, iniciativas como la Ley de Tierras y Víctimas crean nuevo ambiente político. Van a la nuez del conflicto, que es la tierra, pero tienen profundas resistencias. Será una prueba de fuego para el Gobierno, que tendrá que jugarse a fondo para volverla realidad. Significará pulso decisivo con el narcoparamilitarismo en zonas cruciales.

Ustedes pueden –les dije– jugar un papel en todo esto, porque tiene que ver con la esencia de su lucha agraria. Deben entender las posibles conexiones entre la agenda histórica de las Farc y lo que está planteando el Gobierno en cuanto a desarrollo del campo.

Hay que encontrar ya una «salida civilizada» del conflicto armado, como planteó su jefe Cano. Nos importa, como colombianos, que dejemos de matarnos. Queremos saber si ustedes creen que podemos avanzar en conversaciones distintas de las del pasado. Repetir experiencias de anteriores gobiernos no es una opción. Sería como si nada hubiera cambiado en Colombia ni en el mundo. Como si nada se hubiera aprendido de los fracasos.

Tenemos la esperanza de que sea esta vez diferente, y no los diálogos como forma de fortalecer su lucha militar. Si es así, si existe una visión compartida, no perdamos tiempo y arranquemos en esa dirección.

Ustedes tienen una existencia de medio siglo que, querámoslo o no, forma parte de la historia de Colombia. Y bases sociales, allí donde el Estado ha brillado por su ausencia. Hay más de una coincidencia en lo social y agrario entre la agenda de las Farc y lo que este gobierno se propone. Pero la agenda del país como tal debe ser la de no más despojos, no más corrupción, no más captación del Estado por grupos armados ilegales.

Las Farc han desaprovechado oportunidades históricas. La Constituyente del 91 o el despeje del Caguán bajo Pastrana, por ejemplo. Entretanto, se consolidaron paramilitarismo, narcotráfico, «bacrim», lo que hace más difíciles las salidas negociadas.

Mi llamado sincero es a que no los deje otra vez el tren de la Historia. Cada vez será más difícil volver a montarse.

Miremos alrededor. Al mundo y a nuestro propio vecindario. ¿Cómo no ver que el escenario es el de la lucha política legal, abierta, de cara al pueblo?

Su historia está ligada a la lucha armada, pero esta es hoy un lastre fatal para sus metas políticas. No tiene futuro cuando se puede acceder al poder político, nacional o regional por las vías legales.

Así lo entendieron Eta en España, el Ira en Irlanda, el Epl maoísta de Nepal, la guerrilla islámica de Filipinas... Hay que mirar alrededor para ver a exguerrilleros en la jefatura del Estado de sus países. En Brasil, en Uruguay, en Nicaragua, en El Salvador... Bogotá, hoy gobernada por un ex M-19. El estigma no es haber empuñado las armas. Es no saber deponerlas.

Estamos aquí para averiguar si se puede poner fin al conflicto armado. Si ustedes comparten esta visión. Queremos creer que sí. Y que el momento es ahora. No lo dejemos pasar, les insisto. La nueva generación de colombianos juzgará si estuvimos a la altura de esta histórica oportunidad.

Sergio Jaramillo tiene ahora la palabra y, en su estilo sobrio y profesoral, el jefe de la delegación agradece de entrada el apoyo de Cuba, Noruega y Venezuela.

Reconoce que las Farc han mostrado seriedad y honrado su palabra hasta el momento. Como también la ha honrado el presidente Juan Manuel Santos.

Desde el comienzo deja en claro que no estamos aquí para exigirles nada o para pedirles que hagan esto o lo otro. Estamos aquí para explorar la posibilidad de terminar definitivamente el conflicto armado en Colombia. Con dignidad, con respeto, con realismo y con seriedad. Estamos aquí para eso. Y para nada más.

Pensamos que hay una singular oportunidad para salir del conflicto y queremos saber si ustedes piensan lo mismo, dice.

El Presidente está en una posición única: tiene un amplio apoyo popular y cómodas mayorías en el Congreso. Al haber sido exitoso ministro de Defensa tiene, además, autoridad y mando sobre las Fuerzas Militares.

Juan Manuel Santos no da pasos en falso, pero cuando ve un resultado posible se la juega a fondo. Sabe esto porque lleva cinco años trabajando muy cerca de él.

Advierte que la situación actual no se volverá a repetir. Por un lado, el entorno regional tan favorable en América Latina; y, por el otro, las políticas agresivas que adelanta el Gobierno para revertir las condiciones que han alimentado el conflicto (política de tierras, Ley de Víctimas, etcétera).

Estamos ante una decisión que deben tomar ustedes. ¿Quieren ser parte del problema o parte de la solución? Las oportunidades llegan y se van. La opinión pública es cada vez menos tolerante y así lo muestran las encuestas. Hay un problema de credibilidad. Y ustedes –les dijo– van a tener que ganarse el espacio de opinión. El secuestro ha dejado una herida profunda en todos los colombianos. Ustedes tendrán que mirar qué acciones tomar. No demorar las liberaciones anunciadas, por ejemplo.

El espacio jurídico es cada vez menor. Luego de los tribunales de Yugoslavia, Ruanda y el Estatuto de Roma, la situación es otra porque hoy existe responsabilidad penal internacional individual por crímenes cometidos. Esto no depende del Gobierno. Son obligaciones internacionales.

Y luego está el narcotráfico, que carcome todo. Hay quienes apuestan a que el conflicto terminará en pura criminalidad. Nosotros le apostamos a una salida digna. Partimos de la base de que ustedes están dispuestos a tomar la decisión de renunciar a la lucha armada. Y tenemos claro que el fin del conflicto no consiste simplemente en la desmovilización de las Farc. Se requiere una serie de medidas políticas, sociales y jurídicas.

A pesar del clima adverso de la opinión pública, el Gobierno no vaciló para venir acá. A reunirse con ustedes. A aprovechar una oportunidad real de poner fin al conflicto.

Preocupa que se dejen llevar por la tentación de utilizar el diálogo como espacio para visibilizarse, sin renunciar a la pretensión de toma del poder por las armas. Recomendamos dejar a un lado la tentación táctica, porque aquí estamos apuntando a lo estratégico.

Se trata de poner fin al conflicto con realismo y con dignidad, repitió Sergio. Estamos acá para ver si nos podemos poner de acuerdo en cuatro puntos: acordar que se trata de terminar el conflicto armado; definir cuáles son los puntos que se deben discutir para lograr un fin realista del mismo; definir las «reglas del juego» con que vamos a jugar; concretar el plan, tiempos y hoja de ruta.

Si lo vamos a hacer, debe ser de manera explícita. Nosotros vemos una posibilidad real de poner fin al conflicto con dignidad, concluyó.

Las Farc responden

El turno les corresponde ahora a las Farc y, con voz pausada y tono menor, Mauricio Jaramillo, el comandante del Bloque Oriental, jefe de la delegación guerrillera, dice que ellos reconocen que las dos partes han cumplido lo que se acordó para llegar a este encuentro y agradecen a Cuba y Noruega por su apoyo.

Saludan que el Presidente ha hecho lo posible por cumplir y valoran en ese sentido la presencia de Enrique Santos. Las Farc no tienen temas vedados y creen que hoy hay voluntad del Gobierno. Asegura que ellos siempre han mostrado voluntad de paz.

Aclara que él no tiene una historia de participación activa en este tipo de eventos. Alfonso Cano fue uno de los principales promotores de la paz dentro de las Farc y, pese a su lamentable pérdida, aquí están para hacer lo posible para sacar esto adelante.

La confianza que ha depositado la población en quienes están en esta mesa es muy grande. El pueblo no aguanta más violencia.

Vamos a tener el tiempo para discutir todo y construir un verdadero acuerdo de voluntades. Con los planes trazados por el Gobierno, todo el mundo está esperando un cambio. Hay mucha violencia y desplazamiento en el campo. El proceso tiene altibajos y muchos compromisos.

Hay muchas cosas que hablar y precisar, dice, pero por ahora quiere dejar en claro que la voluntad política de las Farc es toda.

Hacia el mediodía hace uso de la palabra Rodrigo Granda (hoy figura como Ricardo Téllez), que, a diferencia de Mauricio Jaramillo, es un botafuego al hablar.

Las Farc no comenzaron esta violencia, dice categóricamente. Fue el Estado. No están de acuerdo en que esta sea la última oportunidad. Esto lo han oído de muchos gobiernos anteriores durante muchos años. Ellos no están cansados ni derrotados. Además, en este momento la crisis mundial del capitalismo es algo para tener en cuenta.

La meta suya es llegar al poder, pero la lucha armada no es la única forma de hacerlo. Si existen las garantías políticas para participar, pues listos. Pero ¿de qué democracia se habla si cuando trataron de participar los sacaron a tiro limpio? En el Putumayo, hoy les están dando bala a organizaciones de las comunidades que simpatizan con la izquierda revolucionaria.

Si el Gobierno tiene seriedad y está listo a proponer algo, pues que lo haga. Lo que no van a arriesgar las Farc es la seguridad de sus miembros. A plomo los sacaron del escenario político con la UP. Él estaba en Medellín en esa época.

¿Qué canales de participación van a dar? ¿Qué garantías van a ofrecer? Juan Manuel Santos ha tomado algunas banderas que ellos tienen, pero el Gobierno no puede decir qué se va a hacer y qué no, ni cerrarles espacios a las Farc para sus propuestas. Hay que mirar también temas como los «falsos positivos». Y las masacres que han cometido sucesivos gobiernos; por eso también se tiene que responder. Aquí Granda hace referencia a una columna «Contraescape» que yo escribí en febrero de 1987 sobre la Unión Patriótica.

Ellos están aquí invitados por el Gobierno. Acompañan a Juan Manuel Santos a hacer historia, pero tiene que haber cambios profundos. No están cansados de la guerra, pero se puede evitar más sangre si se para la confrontación. Si se puede llegar a acuerdos para evitar más muertes, están interesados en una solución.

Les gusta este mecanismo exploratorio confidencial. Entienden que Juan Manuel Santos ha hecho gran esfuerzo para mandar esta delegación.

Del Caguán hay mucho que no se ha dicho, continúa Granda. Hay cosas malas, pero también hay cosas buenas. Y no olvidar que la agenda del Caguán fue firmada por el

Estado. ¿Se va a hablar solo de la desmovilización? ¿O de los problemas grandes donde las Farc pueden también ser constructoras? El hecho de que estén aquí después de la muerte de unos camaradas muy valiosos –algo que ha podido hacer explotar este proceso– es muestra de que están en serio.

Tienen gran aceptación en muchas áreas del país, así como también hay mucha gente que los odia. Pero son colombianos y quieren ver la paz en Colombia.

Hay que ver si estos pocos días son suficientes. Del afán no queda sino el cansancio. Toca escuchar qué es lo que el Gobierno ofrece. Lo que nos une es la terminación del conflicto. Y hay que hacer esto con seriedad, con objetividad y con realismo.

Tras esta intervención la sesión inaugural llega a su fin, hacia la una de la tarde. La reunión se desarrolló en un ambiente distendido, con buen tono y lenguaje. Mauricio Jaramillo y Granda siguieron con mucha atención ambas intervenciones nuestras, mientras que Andrés París y Marcos Calarcá no pararon de tomar notas (está prohibido grabar).

Antes de disolvernos, las Farc plantean que los garantes internacionales estén presentes en todas las sesiones y no solo en la inaugural y la final, como estaba inicialmente propuesto. El cubano Fernández comenta que ellos están a disposición de lo que decidamos. Sergio Jaramillo dice que eso lo hablamos por la tarde (aunque ya habíamos decidido que era conveniente la presencia de los testigos internacionales en todas las reuniones).

La sesión de la tarde está prevista para las 2:30 p. m., pero se aplaza para las 3:00 p. m. porque el ministro de Relaciones de Cuba, Bruno Rodríguez, nos ha invitado a almorzar a Jaramillo, a Pearl y a mí. La cita es en una cercana casa de protocolo y allí nos recibe el joven canciller, que orienta la política exterior de Cuba.

En torno de una mesa de blancos manteles de lino con vista sobre El Laguito, hablamos con nuestro anfitrión sobre temas de la actualidad internacional: los problemas de Obama, el malestar social en Europa, la enfermedad de Chávez (quien, se nos informa, llega esta tarde a Cuba para continuar su tratamiento médico), las relaciones bilaterales, el papel de Estados Unidos y, por supuesto, en términos muy generales, del gran significado del diálogo que hoy han iniciado el Gobierno de Colombia y las Farc.

A las tres en punto estamos sentados de nuevo a la mesa de Casa de Piedra sin la presencia de los garantes internacionales, que se encuentran en el segundo piso a la espera de nuestra decisión. No tenemos objeción alguna –decimos– a que estén los internacionales, siempre y cuando sea como simples testigos. No intervienen ni participan, salvo por petición expresa de las partes. Aclarado esto, cubanos y noruegos se unen a la mesa.

Sergio propone que acordemos que la terminación del conflicto armado es un objetivo común del encuentro y que comencemos a desarrollar los puntos de una eventual agenda, fijando reglas del juego y una hoja de ruta.

Granda interrumpe para pedir que antes les aclararen cómo es la delegación del Gobierno y quiénes son los plenipotenciarios.

Se les explica que el equipo técnico son Jaime Avendaño y Alejandro Eder, reforzados por Lucía Jaramillo. Los plenipotenciarios son Sergio Jaramillo y Frank Pearl. Enrique Santos es delegado personal del Presidente y pidió expresamente no figurar como plenipotenciario por considerar que estos deben ser miembros del Gobierno y que su condición de hermano del Presidente le genera limitaciones y posibles incompatibilidades.

Manifiestan cierto desconcierto con esto y Granda pide que se me otorgue ese estatus. Sergio explica que esto es un formalismo innecesario y que lo que quiere decir plenipotenciario es simplemente que tiene la última palabra como representante del Gobierno.

Superado este punto, entramos en materia y arranca un sostenido y largo contrapunteo que habría de vaticinar las arduas sesiones por venir. Esa tarde tocamos por encima muchos de los temas candentes. Algunos de los cuales figurarían luego en la agenda acordada. Problema agrario, justicia transicional, participación social, garantías políticas, coca, narcotráfico, minería, víctimas, medios de comunicación, Fuerza Pública...

Nosotros insistimos en comenzar a definir los titulares que deben figurar en un acuerdo marco. En ser concretos, específicos y tener muy en cuenta el factor tiempo, que corría en contra del proceso.

Ellos desde el inicio dan a entender que no tienen afán, que primero hay que aclarar muchas cosas, que no se puede desconocer todo lo del Caguán, que ellos fueron invitados a este encuentro por el Gobierno y que Juan Manuel Santos les había mandado decir en septiembre que su programa histórico de doce puntos (el que reiteraron hasta la saciedad durante los diálogos del Caguán) era «comprensible y obvio».

Esto último desconcierta a más de uno de nuestra delegación. ¿A qué mensaje se referían? Todo indica que fue un equívoco en el inicial intercambio de razones entre el emisario de Pablo Catatumbo y el Gobierno, que no quiso decir lo que aparentemente dijo sobre los doce puntos de las Farc como «un programa mínimo». La cosa no pasa a mayores, aunque esto lo sacarían a relucir más de una vez.

Dicen que quieren escucharnos más, pero antes proponen un «esqueleto de temas» para hablar de manera «cruda, clara y sin barnices». Estamos de acuerdo y queremos escuchar qué piensan sobre los puntos de coincidencia que podemos tener.

Sergio y Frank les explican que el Gobierno está desarrollando una serie de políticas en distintos frentes para la consolidación de la paz. En el tema del despojo de la tierra, por ejemplo, está poniendo en marcha medidas para frenar y revertir eso, así como programas de erradicación manual acompañados de desarrollo integral para afrontar el problema de los cultivos de coca. Se les informa en detalle, además, de la ley de desarrollo rural que el Gobierno va a presentar ante el Congreso.

En este tema, yo comento que la seguridad física del campesinado despojado también es un desafío para el Gobierno, que no puede seguir tolerando el asesinato de voceros de la restitución de tierras.

En cuanto a la participación política, deben saber que el Gobierno tiene un proyecto de ley con un estatuto de garantías para la oposición. De otro lado, la justicia transicional requiere esclarecimiento del pasado, lo que el Gobierno está haciendo con la creación del Centro de Memoria Histórica. Y, por supuesto, está la cuestión central de las víctimas, pues en Colombia no se puede hablar de la terminación del conflicto sin hablar de víctimas. Se trata –enfatiza Sergio– de un paquete integral, donde las medidas se refuerzan e implementan de manera simultánea.

La delegación de las Farc escucha atentamente y dice que ese paquete debe plantearse entero antes de ellos opinar, pero comienzan a expresar dudas y objeciones. Mauricio dice que en el Guaviare y otras zonas hay mucha coca y lo que se ve son bombardeos y fumigaciones, pero no desarrollo. Describe los estragos ecológicos de las aspersiones con glifosato en regiones cocaleras y denuncia que en otras zonas del país la gente no puede vender leche o maíz sin una certificación de las multinacionales.

Granda se manifiesta de acuerdo con la ley de restitución, pero cuestiona que Juan Manuel Santos tenga la voluntad para hacer una reforma agraria integral. Sobre la justicia transicional (JT), dice que no puede estar colgando sobre sus cabezas como una espada de Damocles y duda de que con la Constitución del 91 se pueda garantizar el interés supremo de la paz en Colombia. Y vuelve sobre las causas de fondo del conflicto, que hay que abordar para poder resolverlo. París sostiene con vehemencia que no es gratuito que la lucha armada se haya mantenido tanto tiempo y que las Farc nunca aceptarán algo que huela a rendición.

Jaramillo, el nuestro, insiste en que la justicia transicional no es un asunto arbitrario del Gobierno, pues tiene que ver con compromisos internacionales, el tema de víctimas y el esclarecimiento de la verdad. Frank Pearl añade que lo que se busca es un balance entre los cuatro factores de la JT –verdad, justicia, reparación y garantías de no repetición– y que esto no es tarea exclusiva del Gobierno, sino también de ellos y de la sociedad en su conjunto.

Surge aquí el tema de la participación social y ellos hablan de hacer un referendo o plebiscito para darle piso a lo que se pacte. Estamos de acuerdo en que sin consenso social no hay pacto de paz posible, pero advirtiendo que un referendo por sí solo tal vez no resuelve el problema jurídico, por los compromisos que obligan a Colombia a cumplir con el Derecho Internacional Humanitario.

Le reunión sigue con puntadas de parte y parte sobre temas que ellos espontáneamente plantean. Que las Farc se consideran víctimas del Estado; que tanto Gobierno como ellos, y los sectores democráticos en general, tendrán que enfrentar a la extrema derecha enemiga de la paz; que hay que ver qué doctrina militar se va a aplicar en Colombia y si en un eventual posconflicto se justifica un Ejército de 500 mil hombres...

Un verdadero coctel temático que anticipa la diferencia de concepción que nos separa sobre casi todos los puntos. Como hemos acordado que se puede hablar libremente y con derecho a interrumpir, cada cual –ellos y nosotros– mete la cucharada o echa su perorata.

A las 4:30 p. m. acordamos un receso para café y cigarrillo. En la sesión matutina se había fumado sin parar (de nuestro lado, solo yo), pero, por petición de los garantes (la noruega Elizabeth estaba embarazada), decidimos que solo habría humo durante los *coffee breaks*.

Aprovecho la pausa para hablar de tú a tú con Mauricio y encuentro a un hombre atento y cauteloso, que mide bien sus palabras. Él sabe que carga con el liderazgo de su equipo y representa la entraña militar de las Farc. Me reitera el compromiso profundo de su organización con la paz y se muestra molesto y un tanto desconcertado con la permanente y fogosa retórica del ministro de Defensa, Juan Carlos Pinzón, contra las Farc.

Le digo que no hay que pararle tantas bolas a eso, que forma parte del discurso de quien representa al estamento castrense, y le insisto más bien en que ellos tienen que dar pasos y hacer gestos para ganar legitimidad pública y política. Por ejemplo, liberar cuanto antes a todos los secuestrados y miembros de la Fuerza Pública aún en su poder, tal como lo habían prometido.

Le reitero que conozco a mi hermano y que está dispuesto a jugársela por sacar adelante este proceso. Pero que hay que entender las limitaciones del Gobierno, sus dificultades internas y el complicado clima de opinión, que se muestra adverso a diálogos con concesiones a la guerrilla. Es necesario ir creando, pues, un consenso político y social más favorable para que, si logramos un acuerdo, este no caiga en el vacío cuando se le anuncie al país. Me dice que sí entiende todo esto, pero que las Farc también deben crear su consenso interno con mandos y «guerrillerada», y la delegación de La Habana tendrá que estar consultando.

Volvemos a la mesa, donde la discusión se reinicia animada, pero cordial. Sobre el problema de la coca se explayan con argumentos varios, muchos de ellos válidos. Un tema –dicen– son los cultivos y otro, el narcotráfico, contra el cual sí se requieren medidas coercitivas. La gente que siembra coca viene de dos o tres desplazamientos y lo que necesita no es represión y fumigación, sino real sustitución de cultivos con desarrollo e infraestructura, para que sea viable, eficaz y les permita mejorar de vida.

La producción de coca no es una política de las Farc y si se enteran de que alguien de la organización lo está haciendo, lo sancionan. Niegan enfáticamente que sean narcotraficantes, pero que otro cuento es pelear una guerra, para la cual toca cobrar impuestos. A ellos nadie les regala las armas.

Recuerdan que durante los diálogos del Caguán, Marulanda planteó una propuesta de erradicación sin represión con base en un plan piloto en Cartagena del Chairá, pero que la sabotearon con «el escándalo del collar bomba».

El tema de la coca nos lleva a los de medioambiente y frontera agrícola y, por supuesto, al asunto caliente del momento: la minería. Viene fuerte discusión sobre todas las variantes del fenómeno en Colombia: la legal, la artesanal, la ilegal...

Frank, en ese entonces ministro de Ambiente, arremete contra la «minería criminal», lo que genera enérgica respuesta de Mauricio, quien no acepta que se criminalice a gente que recurre a la minería artesanal para sobrevivir, o porque les militarizaron las zonas donde antes habitaban. Los criminales –dice– son las empresas transnacionales que están sacando el oro y quedándose con la tierra.

Pearl hace entonces un resumen de la política minera y medioambiental del Gobierno. Asegura que no está autorizando explotación minera en zonas de reserva naturales y que está negando licencias de operación o de expansión a empresas que no cumplan con proyectos sociales o metas ambientales.

De ahí brincamos al tema de la participación política, sobre el cual nos interesa mucho oír sus inquietudes. Y aquí tienen mucho que decir. Empezando por la trágica experiencia de la Unión Patriótica (UP), que tienen grabada con hierro candente en la memoria. Sus alegatos son extensos.

Dicen que habrá que ver cómo se amplía la democracia en el país porque ellos trataron con la UP y los masacraron. Perdieron a una generación de amigos. Aquí todo lo que sea de la izquierda revolucionaria (no la «cooptada», como califican a los grupos armados que se desmovilizaron: M-19, Epl, Prt, Quintín Lame) es tildado de guerrillero y perseguido. Como está sucediendo hoy en Meta, Caquetá, Arauca, Antioquia...

Los triunfos electorales de la UP en 1986 fueron recibidos a tiros y muchos no pudieron ni posesionarse. El Estado participó en esas matanzas. Muchos de sus compañeros, que eran protegidos por el Das, fueron delatados con información entregada por sus propios protectores para que los mataran.

Granda cuenta que estaba de jefe de la UP en Medellín para las elecciones de marzo del 86 cuando le informaron que a un muchacho de la Juco (Juventud Comunista) y a su padre, que habían sido elegidos concejales de Fredonia, los mataron. Era el comienzo de la guerra contra la UP, con todas sus matanzas. Insiste en que esas eran las garantías: tres metros para que los enterraran. Ningún tiro se perdió. Donde disparaban caía alguien. El Estado, quieto mientras mataban a cinco mil personas. A muchos les tocó correr y terminar en las Farc por defensa propia.

Tras escucharlos a todos, indagamos sobre el error que cometieron las Farc al montar un partido político y mantenerse en armas; y si esto, y la continuación del secuestro, no fue una fatal provocación que luego pagaron con sangre los miembros de la UP.

Su respuesta a este interrogante, que planteamos más de una vez, transluce cierta ambigüedad. Por un lado, que no; que la UP no estaba armada, que la política del establecimiento era su eliminación física porque había cogido vuelo... Pero que, por otro lado, se haya identificado a la UP con la combinación de todas las formas de lucha sí ha podido ser un error...

Volvemos al punto de las garantías y reclaman que los dejen hacer política para ver si la gente los quiere o no los quiere. Que les han puesto una mordaza y no tienen acceso a los medios de comunicación.

Les recuerdo que durante la época del despeje del Caguán yo le ofrecí a Alfonso Cano una columna mensual en EL TIEMPO para que las Farc plantearan sus puntos de vista y que él envió una, que se publicó (con reacción muy adversa de los lectores, dicho sea de paso), pero que luego no aceptó la propuesta de regularizarla. Como no aceptó una de RCN de participar en un debate por televisión con Carlos Castaño. Comentaron que «muy interesante eso», pero no más.

Con el ánimo de aterrizar el tema, les pedimos que nos digan más concretamente qué significa tener garantías. Advirtiendo que es discusión para profundizar más adelante en la mesa, nos sueltan un amplio anticipo: tener acceso igualitario a los medios masivos; que no haya persecución política y se respete la vida de quienes están en la oposición; que se den condiciones electorales especiales durante un tiempo; que de verdad sea un proceso democrático, porque los costos de una campaña electoral, el fraude y la corrupción no lo permiten.

Ya oscurece y es hora de ir cerrando esta primera sesión exploratoria. Sergio, que ha venido asumiendo con lucidez su rol de jefe del equipo del Gobierno, dice que hay que ir recogiendo los temas, y que así como hoy hablamos de participación de las Farc en política, reforma agrícola, coca, minería ilegal, necesitamos saber qué piensan sobre la combinación de las formas de lucha. Porque para el Gobierno todo esto es sobre la base de que ellos ya tomaron, o están tomando, o van a tomar, la decisión de dejar las armas y reincorporarse a la vida civil.

Rodrigo Granda, que ha llevado la voz cantante de las Farc, afirma que lo del desarme no hay que entenderlo como un acto único, sino como un proceso; y si al final del proceso todo se cumple, ¿qué necesidad tienen de seguir echando tiros? Asegura que el de hoy ha sido un ejercicio muy productivo, y recomienda que mañana sigamos hablando en la misma tónica.

Todos de acuerdo. Se les recuerda, a manera de despedida, que hay que buscar un acuerdo marco de varios componentes que, una vez aprobados, se aplicarían al mismo tiempo. Y que el tiempo apremia.

A las seis y media se levanta la sesión y quedamos en reanudar mañana, a las nueve en punto.

¿CÓMO LOS VI?

De regreso a la Casa Veinticinco, llega la hora de evaluar con cabeza fría y al calor de un ron cubano lo sucedido en el día de hoy.

Yo los vi bastante duros y dogmáticos. Aferrados a la misma línea, atrapados por su historia. Casi como esclavos del pasado: los cincuenta años de lucha, el bautizo de fuego del año 64 en Marquetalia, los cuarenta campesinos fundadores, la fijación con el «camarada Manuel», la justeza de una lucha armada que ha durado cinco décadas...

Sin duda, han sufrido severos golpes militares y duras decepciones y deserciones, pero no están reblandecidos en discurso ni convicciones. Pueden estar cañando, aunque en estos asuntos lo más grave es caer en triunfalismos o hacerse falsas ilusiones.

Es lo que creo que nos ha podido pasar hasta cierto grado, cuando se pensó que la rápida disponibilidad de las Farc a sentarse a hablar era signo de debilidad extrema o incluso de posible desespero. Se trata de una organización que ha sufrido notable declive militar y político y acumulado enorme rechazo de la gente. Razones para uno y otro abundan: la modernización y fortalecimiento de las Fuerzas Armadas, la masificación del secuestro, las «pescas milagrosas», las minas y los cilindros bomba, su arrogante conducta durante los diálogos del Caguán, entre otras.

Debilitadas, sin duda, pero no derrotadas ni liquidadas. Pienso en la ilusión que en un momento abrigó Juan Manuel Santos de que en la cumbre de presidentes americanos de Cartagena, en abril del 2012, a la que asistió Obama, se pudiera anunciar ante el mundo que su gobierno había iniciado un proceso para poner fin al conflicto armado más viejo del hemisferio occidental. Hubiera sido ideal, pero con estos tipos no se puede pensar con el deseo.

No están derrotados militarmente. Cada día dan algún golpe, por pequeño que sea. No están desvertebrados orgánicamente, así se vio en los elaborados preparativos del encuentro exploratorio y el propio traslado de sus delegados. No acusan fisuras ideológicas evidentes, como lo muestra su disciplinada uniformidad doctrinaria en el día de hoy. Cada uno, en su estilo, reiteró y recitó la misma línea.

Ellos han sido una organización político-militar; y en el propósito de parar la guerra y apuntar a la política legal, que es de lo que se trata todo esto, sí percibimos –y esto es lo importante– una actitud distinta. Recubierta, claro, de beligerante discurso sobre las condiciones sociales que en Colombia explican la lucha armada, pero con el mensaje –así lo entendí– de que las Farc ya no la consideran forma primordial ni realista de lucha política.

Su evidente interés cuando se habló de participación política, lo que sobre el tema dijeron uno y otro, la insistencia en el punto de las garantías indican que ese es el escenario futuro al que están apuntando.

Son obvios, además, los frutos políticos que les pueden sacar a estas conversaciones, que rompieron el aislamiento nacional e internacional en que se encontraban. La sola celebración del diálogo de hoy, aunque se acabara mañana, es ya una ganancia política para una organización que hace más de diez años es vista en Colombia y el mundo como «terrorista, narcotraficante y secuestradora». Se les restableció un estatus político que habían perdido con la acumulación de excesos y barbaries cometidos.

En las sesiones venideras habrá que hacer énfasis en que Juan Manuel Santos se ha jugado una carta que podría explotarle en las manos si ellos no juegan limpio, o si estos diálogos se hacen públicos antes de lograr un acuerdo marco. Y, sin que se sientan «arreadas», también hay que insistir en la importancia del factor tiempo.

No será fácil, porque históricamente han jugado con dilatar y prolongar. Ya dieron a entender que no piensan correr y desde ya se nota que van a jugar con los afanes electorales del Gobierno.

Están midiéndonos el aceite, con la astucia de una organización que ya se lo ha medido a seis gobiernos anteriores en sus diversas negociaciones con el Estado. Saben, en fin, de guerrear y aguantar; de hablar y pelear...

Se me viene a la cabeza una perspicaz alusión que hizo esta tarde Granda a mi intervención inaugural, cuando mencioné que Juan Manuel Santos sentía un llamado histórico frente a la posibilidad de poner fin al conflicto armado durante su mandato. «¿Santos quiere pasar a la Historia como el constructor de la paz en Colombia? Podemos ayudarlo» –dijo, entre irónico y esperanzado–.

Ojalá sea más de lo último. Pero ¿quién puede saber a estas alturas para dónde va lo que arrancó hoy? ¿Por el mismo recorrido estrellado de antes? ¿Hacia las mismas frustraciones de Casa Verde, de Caracas, de Tlaxcala, del Caguán...? ¿Otra paloma de la paz que caerá acribillada en pleno vuelo?

El moderado pesimismo es recomendable, aunque en este caso siento –y creo que ellos también– que estamos ante un proceso que ya se diferencia nítidamente de todos los anteriores. No solo por sus cuidadosos preparativos, o por el pacto de confidencialidad que hemos guardado, sino por la misma reunión inaugural de hoy.

Pese a la rigidez del discurso de las Farc, a la insistencia en dogmas doctrinarios y mitos fundacionales, cierto instinto me dice que esto puede salir bien. Entre la retórica lineosa de Granda, los arrebatos beligerantes de París, la aplomada ortodoxia de Calarcá o la pétrea solemnidad del Médico, se filtran aires positivos. Ha habido gestos y expresiones reveladoras, que dicen más que el desfogue ideológico.

Tampoco se puede descartar que se hayan dividido en «duros» y «blandos», como táctica negociadora para desconcertar y ablandar al adversario y para arrastrar esto hacia el infinito, con desplantes y arrogancias, sin rectificaciones ni arrepentimientos, porque el solo hecho de hablar y hablar y dilatar y dilatar es un triunfo político. Y se puede seguir en la misma combinación de las formas de lucha porque, como bien lo dijo el «camarada Manuel»: «guerrilla que entrega los fierros se echa la soga al cuello».

Pero quiero creer que, más allá de la sombra tutelar del otrora guerrillero más viejo del mundo y de un pasado convertido en lastre, están vislumbrando un mañana diferente. Más allá de la locuacidad pugnaz o la conciliadora sagacidad que hoy les escuchamos, habrá que descifrarlos mejor.

Es muy temprano para saber. Tan solo han transcurrido estas veinticuatro horas. Un primer paso. Ojalá el más firme y sólido posible, en los muchos más que demandará el largo camino hacia una definitiva agenda de paz para Colombia.

Con ese ambiente y temas se desarrolló la primera sesión del encuentro exploratorio. Así despegó un proceso de paz que se me antoja histórico. El inicial cara a cara entre el Gobierno y las Farc en La Habana y la reflexión que este me suscitó esa misma noche en la Casa Veinticinco quedan consignados en este apretado resumen.

Es una fotografía del momento. Una instantánea si se quiere, que, creo, retrata la esencia de lo expresado por ambas partes durante la jornada. Sin violar reservas ni afectar confidencialidades, pues todos los temas generales aquí tocados han sido comentados públicamente después por ambas delegaciones. Me basé en notas que tomé y en apuntes de Alejandro Eder, de la Comisión Técnica, quien generosamente me los facilitó. No es una versión pormenorizada, ni fue consultada con mis compañeros de mesa.

Me gustaría continuar este relato con el segundo día, el 25 de febrero, cuando la discusión toma más vuelo y los temas se tornan más calientes. Pero el propósito de estas líneas no ha sido otro que el de recrear esas iniciales veinticuatro horas, contar cómo me vinculé al proceso, cómo llegamos a La Habana y cómo fue la primera sentada a la mesa.

Luego nos sentaríamos otras sesenta y nueve veces durante seis meses (no todas con mi presencia), hasta firmar, el 27 de agosto del 2012, lo que el país conoció como el «Acuerdo General para la terminación del conflicto y la construcción de una paz estable y duradera» (una versión facsimilar de este texto se encuentra en los anexos, página 183).

Pero ese es otro cuento. Cuando llegue el momento, quienes han asistido a todo el proceso, que ya va en su tercer año y centenares de reuniones, relatarán con más conocimiento y precisión la historia completa. Esto fue un pequeño «abrebocas». Casi un anecdotario, a la luz de todo lo sucedido desde entonces.

Enrique es Enrique. © Osuna, 2012.

Segunda parte

¿Qué viene ahora?

La tercera vuelta

Terminé el texto anterior a finales del 2013 y la idea era dejarlo así. Pero ¿cómo no referirse a todo lo sucedido desde la firma del Acuerdo de La Habana? Decidí entonces, a manera de epílogo, actualizarlo con algunas inquietudes personales sobre el desarrollo del proceso de paz. No reflejan el sentir del Gobierno ni del equipo negociador, al cual dejé de pertenecer hace más de dos años. Tan solo son reflexiones escritas sobre la marcha, confiando en que no queden desbordadas por el ritmo de los acontecimientos.

Cualquier epílogo exigía esperar el resultado de las elecciones presidenciales de junio del 2014, que giraron en gran parte en torno del diálogo de Santos con la guerrilla y que despejaron en buena medida ese interrogante político.

Luego de una primera vuelta que puso a tambalear las esperanzas de paz (y que evidenció cuánta gente no cree en el proceso), la reelección de Juan Manuel Santos por casi un millón de votos de diferencia (7'839.342 contra 6'917.001) fue un concreto mandato para que insistiera en lo que había colocado como principal bandera de su campaña.

A tal punto que en cierto momento parecía convertido en rehén del proceso. Impresión que se agudizó en muchos sectores cuando, tres días antes de la elección, se produjo el comunicado conjunto del Gobierno y el Eln en el que anunciaban que iniciarían conversaciones, lo que fue ahí mismo denunciado por sus adversarios como un acto de «oportunismo electorero» y otra prueba de que Juan Manuel Santos estaba definitivamente hipotecado a la guerrilla.

La decisión de divulgar ese comunicado conjunto en ese difícil momento fue ciertamente audaz, pues podía salirle el tiro por la culata. Pero resultó acertada. No solo recibió significativo respaldo internacional, sino que reforzó dentro del país la sensación de que el Gobierno tenía una estrategia seria; que había logrado cuadrar la pata que le faltaba a la mesa. Vale decir, al recalcitrante y veterano Eln, que también cumplió cincuenta años por esas fechas. Al viejo tigre que estaba por fuera de la jaula, según un expresidente liberal.

En un pronunciamiento postelectoral, el propio Eln manifestó que «quien hizo la diferencia entre la primera y la segunda vuelta fue el Movimiento por la Paz». Se sintieron partícipes del resultado, aunque poco aplican lo que predican. Así lo demostró la serie de atentados dinamiteros con que «celebraron» su medio siglo, en momentos en que el país vivía un clima unitario de euforia y optimismo con motivo del Mundial de Fútbol, y cuando las Farc, que también conmemoraban sus cincuenta años, prefirieron guardar un perfil bajo.

Acciones como las del Eln alimentan el escepticismo que mantiene gran parte de la población sobre las intenciones de esta guerrilla. Denotan falta de coherencia y cohesión interna y confirman lo difícil que será negociar con un movimiento armado que insiste en el secuestro y en su empeño de ablandar al Gobierno a punta de bombazos.

En todo caso, la segunda vuelta presidencial puede interpretarse como una suerte de primer referendo favorable al proceso de paz. Aunque falta el decisivo, ya que el pueblo debe ratificar lo que se acuerde en la mesa de La Habana. El director del Diálogo Interamericano de Washington, Michael Schifter, lo resumió bien: «Santos ganó la segunda vuelta, pero para él la más importante va a ser la tercera: la refrendación del acuerdo de paz».

El jefe del equipo negociador de La Habana, Humberto de la Calle, dijo repetidamente durante la campaña que «el pueblo tendrá la última palabra». Y este es el reto. No solo llegar a un acuerdo final conjunto con las Farc y el Eln, sino lograr que el pueblo colombiano lo apruebe, en una refrendación ciudadana cuya forma y texto aún están por definirse.

Reto paralelo es el de convertir la paz en una verdadera política de Estado, que involucre a todos sus poderes y no solo a determinadas esferas del Ejecutivo. Frente a este desafío, hay que decir que hasta ahora ha faltado compromiso de la sociedad en general, de la clase política (inclusive de aquella más cercana al Gobierno), del empresariado y del Gobierno mismo, algunos de cuyos miembros parecían casi indiferentes o neutrales frente a la marcha del proceso.

Durante el primer cuatrienio, muchos altos funcionarios no lo tomaron como una tarea primordial. Escudados tal vez en la directriz que en su momento impartió el Presidente, en el sentido de que solo él hablaría de las negociaciones, muchos funcionarios del Estado optaron por desentenderse del tema.

Aquí se refleja una debilidad que se hizo notoria desde un principio: la falta de una eficaz y dinámica estrategia de comunicación. El que solo el Presidente debía referirse a sucesos puntuales de la mesa de La Habana no significa que los demás integrantes de su gobierno sean testigos mudos, o que no puedan ni deban referirse a la importancia de la paz como una política de Estado.

En los últimos meses, el exceso de «secretismo» cedió notablemente y los miembros del equipo negociador han sido cada vez más activos en la pedagogía que necesita la opinión sobre el proceso. Se despejaron interrogantes y el tema comenzó a salir de los escritorios de Bogotá hacia las regiones, donde más se necesitan su divulgación y explicación.

Hasta que, el 24 de septiembre, Gobierno y Farc tomaron la sorprendente decisión de hacer público el borrador conjunto del Acuerdo Final en su estado actual. Aunque, según algunos, obedeció a que las Farc ya estaban divulgando los textos entre sus seguidores o, según otros, a que el uribismo los conocía y pensaba filtrarlos, la decisión fue de hecho audaz y bien recibida.

El texto divulgado, de 65 páginas, corresponde a la totalidad de los acuerdos alcanzados sobre los puntos uno, dos y cuatro del Acuerdo General de agosto del 2012 (1:«Hacia un nuevo campo colombiano: reforma rural integral»; 2: «Participación política: apertura democrática para construir la paz»; 4: «Solución del problema de las drogas ilícitas»).

Son en realidad preacuerdos («nada está acordado hasta que todo esté acordado»), cuyo contenido refleja un trabajo serio y metódico de veinticuatro meses. Son, además, «borradores conjuntos», porque sobre todos los puntos las Farc hicieron «salvedades» que consideran significativas y merecedoras de alguna consulta popular. Para el Gobierno, se trata de puntos sobre los que no se logró acuerdo y que no están en la agenda de negociación. Habrá que ver cómo se dirime menudo *impasse*.

La medida de divulgar el texto de lo que se ha acordado hasta la fecha fue, en cualquier caso, acertada y oportuna. Fortaleció la transparencia del proceso y dio valiosos insumos para el análisis y el debate públicos. Corresponde ahora al periodismo y a los medios canalizar este debate, darles contexto a los temas, consultar opiniones expertas y ofrecerle al público colombiano más elementos de juicio para comprender mejor lo que se ha venido acordando en La Habana (en una muestra de periodismo serio, *El Nuevo Siglo* publicó al otro día una separata especial con el texto completo de los preacuerdos).

Es posible, incluso, que este hecho señale un «punto de no retorno» en el proceso, que no hay que confundir con «la paz a la vuelta de la esquina». Tampoco implica que se levante la confidencialidad sobre todo lo que aún falta en la negociación. Restan puntos delicados (fin del conflicto, dejación de armas, entre varios otros), cuya discusión no puede estar expuesta a filtraciones ni a injerencia de cámaras, grabadoras y micrófonos.

EL PAPEL DE LOS MEDIOS

En el tema de filtración, divulgación y comunicación, es inevitable hablar de la función que cumplen los medios informativos en los procesos de paz. Mi experiencia de periodista me enseñó que en muchas ocasiones su rol puede ser contraproducente o francamente nocivo. Como lo fue durante el gobierno Betancur, cuando «la guerra de papel» causó un daño comparable a las mutuas provocaciones armadas que acompañaron los meses de diálogo y las tentativas de tregua y cese del fuego con la guerrilla, a mediados de los años ochenta.

El «síndrome de la chiva» (la competencia desaforada por dar exclusivas), las especulaciones noticiosas, las versiones interesadas, las filtraciones malintencionadas crearon un confusionismo informativo que hirió de muerte al proceso. El prólogo que escribió García Márquez para mi libro *La guerra por la paz* (Ed. Cerec, 1985), titulado «¿A quién le cree el Presidente?», analiza con agudeza el papel de los medios en ese periodo.

Decía García Márquez hace veintinueve años: «En la algarabía de las inculpaciones recíprocas, no se supo nunca con certeza quién disparó el primer tiro que rompió la tregua, ni quién empezó ninguna batalla. Los guerrilleros culpaban a las Fuerzas Armadas y estas culpaban a los guerrilleros. Los partidos políticos establecían sus criterios de acuerdo con sus intereses del momento. La opinión pública, incapaz de sacar nada en claro, se dejó vencer por el tedio, y la prioridad de la paz fue sustituida por la prioridad del desencanto. Tal vez, en medio de las tinieblas, la única verdad era que unos y otros mentían por interés, por táctica, por conveniencia, por ignorancia, por responder a una mentira con otra y hasta por el mismo hastío de vivir entre tantas mentiras. Pero al final el resultado era el mismo: todo el mundo mentía. Sin embargo, había que hacer una pregunta esencial: ¿a quién le creía el Gobierno?».

Prestarse a la distorsión de los hechos, servir de caja de resonancia a cualquier versión que surgiera, hacerle el juego al sensacionalismo fueron falencias periodísticas que contribuyeron al gran confusionismo informativo del momento. Fenómeno que afectó también los diálogos que en los años 91 y 92 se adelantaron en Caracas y Tlaxcala con la Coordinadora Guerrillera y los otros, con el M-19 y el Epl. Las experiencias internacionales en procesos de paz abundan en crisis ocasionadas por un cubrimiento mediático que puede poner en jaque la credibilidad de las partes o la viabilidad misma de las negociaciones.

Cuando en los encuentros exploratorios de La Habana discutíamos la posibilidad de acordar un «protocolo de comunicaciones», presenté una propuesta sobre el tema, que las Farc dijeron que era mejor dejar en manos de la mesa que se instalaría públicamente luego de firmado el acuerdo marco. La idea era crear una estrategia común de comunicación hacia el público y los propios medios, que lograra manejar las expectativas de la opinión y anticipar las posibles crisis.

Contemplaba algún tipo de facilitador o portavoz común que coordinara la difusión de declaraciones conjuntas, evitara sorpresas unilaterales y estuviera pendiente de los vacíos informativos del proceso que sus enemigos, o los propios medios, intentarían llenar. Sugería pensar también en mecanismos conjuntos de contención del daño cuando hubiera filtraciones o hechos periodísticos que golpearan el proceso.

Asimismo, recomendaba blindar a la mesa de tentaciones mediáticas de corte sensacionalista, recordando siempre que la naturaleza misma de los medios es la de buscar el lado conflictivo y controversial de las cosas («buenas noticias no son noticias», reza el viejo adagio del periodismo gringo). Y evitar caer, por supuesto, en la dinámica de la desinformación y de la contrainformación que socava la credibilidad de estos procesos. Se trataba, en fin, de lograr un manejo de la comunicación que le proyectara al país el mensaje de que este proceso es serio, creíble y distinto de las frustradas experiencias del pasado.

Algunas, pocas, de esas recomendaciones fueron tenidas en cuenta en el posterior manejo que se le dio a la comunicación de la mesa, aunque las partes –Gobierno y Farc– prefirieron divulgar cada cual sus posiciones cuando lo estimaran conveniente. Y en esto las Farc fueron más avezadas. Como se recordará, al otro día del anuncio público del acuerdo se soltaron con ruedas de prensa y entrevistas por todos los medios. Entendí entonces por qué no se quisieron amarrar a un «protocolo de comunicación» que pudiera contener o limitar el discurso largamente acumulado que guardaban.

Fueron tales la locuacidad y todo lo que dijeron sobre víctimas, secuestro y narcotráfico en las primeras ruedas de prensa, que terminaron por lesionar su credibilidad ante un público atónito con sus sucesivas declaraciones, en las que aseguraban que las Farc no le habían hecho daño a la sociedad, no habían narcotraficado, no eran victimarios sino víctimas, no tenían ni un secuestrado... Luego matizaron y corrigieron, pero desde entonces no han dejado de divulgar por las redes sociales sus posiciones y puntos de vista sobre los más diversos temas.

Pese a sus excesos y traspiés, su estrategia revela dedicación, coordinación e inclusive vocación periodística.

Ya tienen noticiero de televisión en formato convencional, con «Tania» –la holandesa– como una de sus presentadoras, aunque no es de esperar que «La insurgencia informa» (o *Noti-Farc*, como también le dicen) ofrezca derecho de réplica. Y ahora colocan en la red toda suerte de «artículos de opinión» que envían sus guerrilleros «desde las montañas de Colombia». Lo novedoso es que, como en cualquier medio democrático-burgués, los comentarios individuales de sus colaboradores ya no comprometen a la Dirección. Así se vio tras el rechazo que produjeron los duros ataques personales en el portal de las Farc contra Clara Rojas, a la que no se le reconoció su condición de víctima. La delegación de La Habana aclaró que eran «las opiniones de una guerrillera» y no una posición oficial.

Cosa muy distinta piensa otra víctima de largos años de secuestro en esa misma época, el excongresista Óscar Tulio Lizcano (el que terminó «dialogando con los árboles» por la soledad y el aislamiento de su cautiverio), quien escribió en *El Colombiano* (21/10) que «por nuestra experiencia de secuestro, sabemos que nadie puede opinar, menos con narraciones de ese calibre, sin previo consentimiento de sus superiores». Lizcano dice que Clara Rojas fue «revictimizada de una manera infame».

La verdad es que en una organización tan jerarquizada y militar como las Farc, toda opinión hacia afuera debe ser aprobada desde arriba y es poco usual que los guerrilleros expresen tan públicamente pensamientos individuales. A menos que en su interior se esté incubando un novedoso y bienvenido germen de pluralismo de opinión. En artículo reciente, titulado «*Semana* manipula la información», un miembro de la delegación de las Farc, Rubén Zamora, fustiga a esa revista por «atribuirle a la comandancia la crónica de una combatiente (...) y negarle su derecho de opinión a la guerrillera Diana». Hace también un solemne llamado a los medios de comunicación a «dar ejemplo de pluralidad, equilibrio y respeto a la verdad como precepto social, ético y político».

Preceptos sin duda irrefutables, aunque pueden sonar huecos cuando se recuerda lo sucedido con el hijo que Clara Rojas concibió en la selva durante su secuestro. El muy sonado «caso Emanuel», cuyo manejo por las Farc enfureció al propio Hugo Chávez, fue uno de los detonantes de la mayor movilización de la historia reciente del país, cuando, el 4 de febrero del 2008, millones de colombianos salieron a la calle a gritar «¡No más mentiras, no más secuestros, no más Farc!».

Pero convengamos en que son hechos del pasado y en que hoy se trata es de mirar hacia adelante para creer –como dice Zamora al rematar su artículo– que un espíritu de reconciliación demanda «pasar la página de la guerra mediática como forma de hacer política y someterse a la lucha de ideas de manera respetuosa, pluralista y democrática...». Preceptos también irrefutables, que cuando se apliquen de lado y lado tendremos la paz, ahí sí, a boca de jarro.

Para las Farc –me lo reiteró Alfonso Cano la última vez que lo vi, en 1999–, las frecuentes protestas populares en su contra (aún no había ocurrido la del 4 de febrero) eran producto de la «manipulación de los medios de la oligarquía», en cumplimiento de su eterno «papel guerrerista» (ver «El Cano que yo conocí» en los anexos, p. 159). El concepto de «guerra mediática» figura de manera constante en pronunciamientos de las Farc y no por casualidad. Es evidente que la influencia de los medios de comunicación sobre la opinión pública les otorga una función especial en los procesos de paz. Son «el tercer actor de la mesa», según expresión de la periodista María Alejandra Villamizar, asesora de comunicación del gobierno Pastrana durante los diálogos del Caguán.

Todo lo cual lleva a repreguntarse por el papel desempeñado por los medios en el proceso actual, al cumplirse el segundo año de la instalación de los diálogos públicos en La Habana. Digo públicos porque desde aquel momento todo el mundo se entera, no porque la mesa de negociación esté abierta a los medios. Lo que allí se discute sigue siendo confidencial y esta es tal vez la diferencia más significativa con los anteriores procesos de paz, en los que el periodismo jugó un papel más errático y controvertido.

En esta ocasión, en virtud de las reglas del juego acordadas, el escenario de La Habana les ha recortado margen de maniobra a los medios, pese a lo cual han hecho un trabajo sistemático de seguimiento y la información que sale de la capital cubana ocupa un espacio justo en la agenda noticiosa. A medida que avanzan las rondas de conversaciones, los registros se hacen, se habla de los comunicados, se resaltan las frases más llamativas, muchas veces sin el contexto necesario. Otro escenario han sido las numerosas entrevistas en los grandes medios con los jefes guerrilleros de la delegación de las Farc, que logran miradas más amplias sobre los temas en discusión y los desafíos que plantea el proceso.

Pero esos cubrimientos son solo una cara del tema. De manera paralela, de la paz y de sus posibilidades se habla fuera de la mesa y es en estos escenarios donde el papel de los medios empieza a plantear más conflictos. Inevitables desde que «la paz» se convirtió en tema clave de la agenda informativa nacional y en bandera central del Gobierno. Perdió la dimensión exclusiva de un asunto Farc-Gobierno y negociadores, al trascender a la escena de la confrontación política. Tanto Gobierno como oposición tienen en la paz el plato fuerte de sus posturas, y en ese sentido los medios han quedado atrapados en la demanda de imparcialidad. ¿Lo están logrando?

Depende del lente desde el que se mire. Pese a la amplia difusión que han tenido sus posturas, es obvio que para las Farc los medios están al servicio del Gobierno en el propósito de desinformar sobre el proceso y difamar a esa organización. Inversamente, la oposición de derecha adversa al proceso sindica a los principales medios informativos del país (con algunas excepciones, como *El Colombiano*) de subordinados y sumisos a la obsesión de paz del Presidente.

Es claro que el periodismo no puede ocultar los múltiples argumentos a favor y en contra del proceso. Pero

¿significa esto que no debe asumir una posición que, por ejemplo, considere el proceso de paz un propósito nacional y no solo del Gobierno? ¿De qué manera hacerlo sin ser «gobiernistas»? La respuesta parecería simple: haciendo bien su trabajo.

Hablando desde mi pasada experiencia en la materia, esto significa no prestarse para ser canales de la controversia gratuita (diferente de la legítima), que busca descalificar el sentido de un proceso de paz con falsas acusaciones, juicios amañados, críticas sin fundamento o versiones tremendistas que van sembrando miedo en la población. Con frecuencia, estas actitudes capturan más atención de los medios y a veces logran entorpecer las negociaciones o dar la sensación de un caos institucional. La explicable desconfianza que de por sí ya tienen los ciudadanos en la posibilidad de que las Farc cumplan los acuerdos o tengan el propósito real de dejar las armas se va transformando, a punta de titulares de prensa, radio o televisión, en imaginarios reales para la sociedad.

Sin que los medios deban ser militantes de la paz, tampoco lo pueden ser de su fracaso. Cada medio, cada director, cada reportero debería tener claro su papel en esta coyuntura del país. Para no contentarse con ser un simple narrador de la confrontación política, sino procurar desentrañar si de por medio existen intereses que utilizan a los medios con propósitos partidistas o de grupo. En esta dirección, habría que darles cada vez más voz a los ciudadanos en municipios y regiones, para reflejar otras preocupaciones sociales por la paz. Si los medios no asumen este papel, serán más susceptibles a la manipulación política, o perderán aún más terreno frente a las redes sociales, que hoy sirven de termómetro para medir la temperatura de la opinión.

Otro aspecto sin resolver del campo de la comunicación es el impacto que tienen las noticias del conflicto en medio de negociaciones de paz. Es evidente que los actos de guerra no contribuyen al optimismo. Frente a ellos, antes de señalar responsabilidades, los medios tienen que cumplir con reglas básicas del oficio: hacer lo posible por comprobar las versiones oficiales y buscar respuestas sobre los hechos también en las Farc, que hoy tienen canales suficientes para expresar sus puntos de vista. Claro que con frecuencia los que se precipitan a señalar responsabilidades son los voceros del Estado, cuyas versiones son registradas en los medios, muchas veces sin mayor esfuerzo de corroboración.

La manipulación político-mediática de noticias de alto impacto puede lesionar seriamente los procesos de paz. Como sucedió en mayo del 2000, con el tristemente célebre caso del «collar bomba», que casi sepulta las conversaciones que Gobierno y Farc sostenían en la zona de distensión del Caguán.

Cabe recordar los hechos. Dos individuos llegaron a la vivienda de la señora Elvia Cortés de Pachón, en cercanías de Chiquinquirá, le colocaron un «collar bomba» y advirtieron que si en diez horas no les entregaban una millonaria suma, harían explotar la bomba por control remoto. La mujer murió cuando un técnico antiexplosivos de la Policía (quien también falleció) intentaba desactivar el artefacto.

El hecho, ampliamente difundido por todos los medios, causó indignación nacional e internacional y fue de inmediato atribuido a las Farc por el director de la Policía y altos mandos militares. La acusación recibió gran despliegue y llevó al presidente Andrés Pastrana a cancelar una audiencia internacional que iba a celebrarse en la zona de distensión.

En respuesta, las Farc suspendieron su participación en la mesa de negociación hasta que el Gobierno reconociera que ellas no tuvieron que ver con el «collar bomba». El proceso del Caguán amenazaba con reventarse y a los ocho días el Gobierno absolvió a las Farc. Más tarde, la Fiscalía ordenó el arresto de un extorsionista profesional como autor del crimen. La credibilidad del Estado, y en particular la de su Fuerza Pública, no salió bien librada de este sombrío episodio.

Es un gráfico ejemplo de lo que he querido decir sobre el papel de los medios en coyunturas que se prestan para la desinformación o manipulación. En una guerra, la verdad suele ser la primera baja, como tanto se repite. No es gratuito que estadistas conservadores como Churchill dijeran que «en tiempo de guerra, la verdad es tan preciosa que debe estar siempre escoltada por mentiras». O que ideólogos marxistas como Lenin pensaran que la información no debe buscar la imparcialidad, sino servirle a la propaganda revolucionaria.

Los llamados poderes fácticos –políticos, económicos, militares– siempre intentarán utilizar o manipular a los medios informativos en función de sus estrategias. Sobre todo en situaciones de alta tensión y conflicto. Corresponde a medios y periodistas estar conscientes de esta realidad y hacerse respetar. Razones todas para que, en situaciones como la de Colombia, el periodismo sea fiel a elementales preceptos del oficio. Como el de «no tragar entero».

Congreso y oposición

Se presume que en la segunda administración Santos sea todo el Gobierno el que esté muy visiblemente comprometido con lo que debería convertirse en el gran propósito nacional de Colombia. Cada vez que el Ministro de Comunicaciones entregue computadores en escuelas rurales, valga el ejemplo, debería vincular este hecho a la política de paz. O el de Salud, cuando inaugure una clínica en alguna zona complicada, referirse a los enormes beneficios sociales que trae un territorio sin conflicto. La paz, en fin, proyectada en un discurso reiterado como una prioridad del Estado en su conjunto, en la que todos sus representantes creen y participan, y no como la obsesión particular de un mandatario.

Para la guerrilla, el reto y la responsabilidad no son menores. Estar a la altura del momento histórico y no hacerles el juego a los enemigos de oficio del proceso –algo que, sin embargo, hacen de manera continua–, ni a una oposición empeñada en desacreditar las negociaciones ante la sociedad y en entrabar en el Congreso los proyectos de ley que favorezcan una solución negociada del conflicto armado.

«Juan Manuel Santos tiene cuatro años para culminar su capitulación ante las Farc», decía pocos días después de la reelección uno de los portales del uribismo puro y duro. Sus ideólogos más beligerantes cuentan con que los 6,9 millones de votos por Óscar Iván Zuluaga sean sólida base social para enfrentar la política de paz de Santos y que las contradicciones internas de la coalición gubernamental jugarán a su favor.

Pero podrían estar subestimando las propias. Algunas, aunque tímidas, ya asoman frente al tema específico de las negociaciones de La Habana. Así lo sugiere la inclinación de algunos sectores del Centro Democrático (CD) hacia un punto de encuentro entre Santos y Uribe en torno de una fórmula de «paz negociada». El exviceministro de Defensa Rafael Guarín, conocido vocero del CD, ha dicho que el uribismo debe proponerle a Santos un acuerdo político sobre la paz y que «si quiere ser alternativa de poder, no se puede quedar atravesado como una vaca muerta en la coyuntura...».

El propio caudillo protagonizará con seguridad más de una sorpresa. No bien entraba el Congreso en su segunda semana de sesiones cuando Uribe pidió que se firmara el acuerdo lo más pronto posible para que sea sometido a la consideración de los colombianos a través de un referendo, y no se siga jugando con las expectativas de paz. La salida es a primera vista desconcertante, pero el mensaje es claro.

Consciente de lo difícil que será la implementación de cualquier mecanismo que se apruebe (referendo, plebiscito, consulta...), el uribismo se la jugará a fondo en la plaza pública en contra de una eventual ratificación popular de los acuerdos. Las revelaciones del «hacker» Andrés Sepúlveda son muestra de los extremos a los que llegó el Centro Democrático en su campaña para socavar el proceso de paz.

El Congreso es, por supuesto, escenario central donde se mide bien la correlación de fuerzas, así como la cohesión y disciplina de las distintas bancadas. Y, en primer lugar, la propia capacidad de la coalición de gobierno para defender los proyectos de ley que salgan de la mesa de La Habana. Marco jurídico, participación política, instrumentos de refrendación de acuerdos, justicia transicional, víctimas, reformas del agro... Los temas son tan numerosos como intensas serán las discusiones que susciten.

Al inaugurar el 20 de julio las sesiones ordinarias, Santos remató su discurso proclamando que este será «el Congreso de la paz». Y el presidente del Senado afirmó que este «tendrá que legislar para el posconflicto». Está por verse, pero es clara la responsabilidad que tienen las Cámaras en el desarrollo de todo el marco legal que ponga en marcha los acuerdos. Y la necesidad que tiene el Gobierno de encauzar sus mayorías parlamentarias y aliados políticos tras esta meta.

Lo que aún no se vislumbra es la forma concreta que tomará la oposición uribista. Si será total e implacable o habrá zonas de acercamiento, como lo sugiere la primera reunión formal entre Gobierno y uribismo para discutir la reforma del Estado. Hay parlamentarios del Centro Democrático que, como el senador Alfredo Rangel, un hombre estructurado que (como muchos intelectuales uribistas) viene de la izquierda, desearían que los debates reflejen la altura conceptual y el nivel político que se esperan de una democracia seria. La tónica la traza sin duda la figura carismática del expresidente Uribe, supremo timonel del bloque parlamentario de veinte senadores y diecinueve representantes del CD y opositor declarado de las conversaciones.

Su bancada está dando ejemplo de puntualidad y rigor, en claro esfuerzo por contrastarse con la laxitud habitual de los padres de la patria. Conociendo la tenacidad y vena populista de Álvaro Uribe, no cabe duda de que protagonizará un interesante y saludable fenómeno en el Congreso Nacional, que puede recobrar su papel de escenario natural y legítimo para la confrontación política. Por más dura que esta sea, como se vio en el debate entre el expresidente y el senador Iván Cepeda sobre el tema del paramilitarismo.

Al Gobierno le aguardan tareas y decisiones difíciles. Aunque minoritaria, la oposición uribista será dura y más cohesionada que la heterogénea coalición que hizo posible la victoria de Santos. Se vislumbra, pues, un horizonte con más de un nubarrón. La expectativa de paz, que sube y baja al vaivén de los acontecimientos, también puede desgastarse con la creciente ola de atracos y extorsiones que viven las ciudades. Aunque la guerrilla no tenga que ver con esta modalidad de delincuencia urbana, la gente del común no lo entiende bien y no será el uribismo el que se encargue de aclarárselo. Pero basta con que las Farc y el Eln continúen dinamitando oleoductos, carreteras y torres eléctricas, y quemando buses y tractomulas, para que la de por sí elevada desconfianza pública hacia el proceso vire hacia una irreparable indignación.

La prevención militar

Las Fuerzas Armadas y su postura poco favorable a los diálogos es otro tema delicado que ha rondado al proceso desde el primer momento. En el fragor de la campaña presidencial se pudo apreciar el grado de franca hostilidad con que lo miran sectores muy representativos del estamento militar.

El uribismo trabaja sin cesar este sentimiento, con el reiterado eslogan de que las negociaciones son una concesión al terrorismo y al «castro-chavismo». Durante la campaña electoral se pretendió enfrentar las FF. AA. al Ejecutivo, se sembró cizaña, se propagaron falsos rumores y se fomentaron desplantes del alto mando al Presidente.

Basta repasar los comunicados de la Asociación de Oficiales en Retiro (Acore), o las tajantes entrevistas de su presidente, el general (r) Ruiz Barrera, amén de las diversas declaraciones que en los últimos meses dieron altos oficiales recién llamados a calificar servicios. Como las del mayor general (r) Javier Rey sobre un supuesto «plan tortuga» del Ejército en junio, que tuvo que ser desmentida por la propia Comandancia General. El mismo general que luego fue investigado por la Fiscalía por presunta filtración al expresidente Uribe de las coordenadas de vuelo del avión que trasladó a jefes de las Farc a La Habana.

Una de las causas del malestar en las Fuerzas Militares es la falta de claridad jurídica sobre su futuro y el temor, alimentado por los enemigos políticos del proceso, de que en la mesa de La Habana se acordarán medidas en detrimento de la institución castrense. Existe, además, una preocupación generalizada en relación con miles de miembros de las FF. AA. investigados, detenidos o condenados ya a largas penas, entre ellos varios generales.

Ellos se dicen: «Si jefes de las Farc y el Eln podrían evitar prisión y participar en política con garantías para su seguridad, ¿de nosotros qué?». Esperan un tratamiento equivalente. Y lo cierto es que, en materia de justicia transicional, tiene que haber cierta simetría si la paz ha de construirse sobre bases firmes. Puede enfurecer a muchas ONG, pero es ilusorio pensar que solo la guerrilla puede recibir beneficios, pero no los militares. ¿Quién, cómo y con qué rasero se juzga a los militares? Esa es la cuestión. Con el visible ánimo de despejar dudas y malestares sobre el delicado punto, el Presidente enfatizó en septiembre que los beneficios jurídicos que reciban las Farc como resultado de los pactos de La Habana también se aplicarán a los militares.

Capítulo aparte son delitos como los llamados «falsos positivos», que sacudieron al país y frente a los cuales no cabe esperar tolerancia de la opinión nacional o internacional. Todos los protagonistas directos del conflicto interno han cometido actos abominables. Ya sea en el fragor del combate o por circunstancias incontrolables que produce esta guerra interna. Pero, desde la óptica de las fuerzas del orden –las que representan a la ley y al Estado–, nada puede exculpar la ejecución fría y deliberada de jóvenes recogidos en redadas o con falsas promesas de trabajo para luego presentarlos como subversivos muertos en combate e inflar las cifras de «bajas» enemigas.

Desconcierta la cantidad de personal militar que aparece involucrado a través de la cadena de mando; el número de muchachos pobres asesinados (¿centenares?, ¿miles?) y el perverso sistema de incentivos que alimentaba estos hechos. No hay forma de vincularlos a «actos de servicio» ni atribuirlos a inevitables excesos de la guerra. Lo mismo que crímenes cometidos por miembros de la Fuerza Pública por simple afán de lucro. Cuando oficiales del Ejército o la Policía incurren en secuestros extorsivos y asesinatos selectivos para enriquecerse o servirle al narcotráfico, una solidaridad de cuerpo con ellos solo enloda la imagen y credibilidad de la institución armada.

Luego de que en noviembre del 2013 la Corte Constitucional hundiera la reforma del fuero penal militar, el ministro de Defensa, Juan Carlos Pinzón, radicó en octubre de 2104 un nuevo acto legislativo, que busca evitar la impunidad en casos de personas que fueron asesinadas y luego presentadas como bajas en combate. Entre los delitos sobre los cuales no podrá conocer la justicia penal militar (genocidio, desaparición forzada, tortura, desplazamiento forzado y violencia sexual), se incluyeron las ejecuciones extrajudiciales («falsos positivos») y crímenes de lesa humanidad.

Tengo la certeza, porque he conversado con muchos de sus miembros, de que a las Fuerzas Armadas no les importa que jefes de las Farc no paguen cárcel, aun si tienen largas condenas, y ni siquiera se oponen a que vayan al Congreso. Su preocupación es por sus oficiales y soldados. ¿Deben podrirse en la cárcel por actos de servicio o hechos de la guerra mientras los guerrilleros quedan libres? La sociedad colombiana difícilmente lo aceptaría. Las propias Farc, como organización militar, entienden que sus adversarios en el campo de batalla necesitan recibir un tratamiento aceptable. Es significativo que a fines del año pasado Iván Márquez haya declarado en Telesur que «el general Mora es un adversario digno, que actuó con ética» y que lo respetaba, al igual que al general Naranjo.

A pesar de la presencia en la mesa de La Habana de figuras tan respetadas y representativas de las FF. AA. como los generales Jorge Enrique Mora y Óscar Naranjo, y de las reiteradas promesas del Gobierno de que no se afectará el estatus de la institución, las prevenciones militares frente a las negociaciones con la guerrilla siguen siendo un delicado factor para tener en cuenta. La edición de junio de la revista *Ecos*, órgano del Cuerpo de Generales y Almirantes en Retiro (CGA), refleja hasta cierto punto este estado de ánimo. Un artículo del mayor general (r) Carlos Quiroga Ferreira llega a afirmar que Santos, «el Presidente más corrupto de la historia reciente de Colombia», les está dando a las Farc «la primera y real oportunidad para acceder al poder rápidamente».

Sería equivocado, sin embargo, pensar que opiniones tan radicales reflejan el sentir general de las Fuerzas Militares. En la citada revista también se leen artículos ecuánimes e incluso favorables al proceso de paz, aunque la tónica predominante sea la de distancia crítica frente al proceso.

Difícil que este se consolide hacia adelante sin una cúpula militar alineada con la política del Gobierno. Un hecho determinante, en medio de esta tensión latente, fue la decisión audaz (y para algunos prematura) de nombrar a cuatro oficiales activos de la Fuerza Pública en la Subcomisión Técnica sobre cese del fuego bilateral y dejación de armas, que habrá de discutir con delegados de las Farc medidas para la terminación de la guerra. El solo anuncio, el 7 de agosto, de que se había creado esta comisión causó enorme impacto, pues nunca antes, en los treinta años de frustradas negociaciones con la guerrilla, militares activos habían integrado una comisión de diálogo ni sostenido un cara a cara con voceros de las Farc como el realizado en La Habana el 22 de agosto.

Este paso sin precedentes generó la inmediata y previsible reacción del uribismo, que lo calificó como desmoralizador para la tropa y una afrenta al honor y dignidad de las Fuerzas Armadas. Aunque sí levantó ampolla en el Ejército (se habló incuso de coroneles que lloraron), el hecho fue asimilado y el equipo militar que viajó a La Habana estuvo encabezado por el más destacado oficial en materia de contrainsurgencia, el general Javier Flórez, excomandante de la Fuerza de Tarea Conjunta Omega, quien lideró contundentes operativos contra las Farc.

Al día siguiente de su viaje a La Habana, el general Flórez renunció a su cargo como jefe del Estado Mayor Conjunto de las Fuerzas Militares –aunque continúa dentro de la línea de mando– para dedicarse de lleno a las tareas de dicha subcomisión, que debe ocuparse de temas tan cruciales y sensibles como procedimientos para desescalar el conflicto, dejación de armas y garantías de seguridad para la reincorporación de la guerrilla.

Otro asunto que causa escozor en la Fuerza Pública son las comisiones de la verdad y de «esclarecimiento histórico», aprobadas en La Habana y que los altos mandos miran con preocupación y desconfianza. Consideran que estas comisiones podrán ser utilizadas por la guerrilla para sentar a la Fuerza Pública en el banquillo y juzgarla como la gran culpable de los excesos del conflicto interno. Cabe recordar que en épocas del gobierno de Virgilio Barco los militares se opusieron tajantemente a la creación de una comisión de la verdad, en el marco de los diálogos que en ese momento se efectuaban con la guerrilla. Y esta nunca se conformó.

Ahora también han hecho sentir su voz de alarma. En un reciente escrito, titulado «¿Quién confía en una comisión de la verdad?», el mayor general (r) Juan Salcedo Lora, quien ha participado en pasados encuentros de paz, dice que estas iniciativas apuntan solo a los militares y que «contienen en sus entrañas varias formas de perdonar y olvidar los terribles crímenes de las Farc, el Eln y otras organizaciones guerrilleras que, al igual que el M-19, se irán en paz a la tierra del olvido, sin pagar un solo día de cárcel, mientras las duras condenas sepultan en las cárceles a los servidores de la Fuerza Pública» (revista *Ecos*, junio del 2014).

Con este ambiente y en este contexto, no es gratuito ni casual que entre los principales proyectos de la agenda legislativa del Centro Democrático figuren el de crear un tribunal especial que «revise todos los fallos condenatorios contra miembros de la Fuerza Pública por delitos cometidos en servicio activo partir del 1° de enero de 1980» y el de conformar un fuero especial para que solo sean juzgados por tribunales militares. Resulta muy improbable que, con las cargas de impunidad que conllevan, estas propuestas sean aprobadas, pero ilustran bien el oportunismo con que el Centro Democrático insiste en cortejar a los militares.

Hacia una política de Estado

Existe un consenso implícito entre muchos analistas del tema sobre la necesidad de que el Presidente asuma hacia adelante un liderazgo personal muy activo del proceso. Para limar asperezas con los militares, para conectar mejor con las regiones y sus líderes, para explicarle con más detalles al país sus avances y para evitar, en lo posible, el llamado doble libreto del primer cuatrienio. Ese que lo llevaba a recordar cuántos jefes de las Farc había dado de baja cada vez que se refería a la necesidad de dialogar con ellas. O los lenguajes con frecuencia muy disímiles del Ministro de Defensa y los negociadores de La Habana.

En materia de dobles libretos, en el segundo gobierno tampoco han faltado. Las revelaciones del ministro Pinzón sobre viajes de Timochenko a La Habana (10/10) causaron revuelo, produjeron comunicado del Gobierno en el que se confirmaba el hecho y alimentaron especulaciones varias sobre la agenda propia y las inquietudes presidenciales de Juan Carlos Pinzón. En esos mismos días, el pronunciamiento de Humberto de la Calle en una conferencia en Madrid contra el voto obligatorio (9/10) también llevó a preguntarse si esa afirmación del jefe del equipo negociador de La Habana estaba dentro del libreto oficial. Ante su evidente impopularidad, el Gobierno desistió a la semana siguiente del proyecto de voto obligatorio, el cual no era, ni es, instrumento idóneo, convincente ni democrático para presionar la participación electoral en un referendo refrendatorio.

A pesar de la agobiante sombra de Uribe, que lo acosa desde el primer día en la Presidencia, y sin el afán de tener que reelegirse, lo lógico es que en el segundo periodo el jefe del Gobierno se meta de cuerpo entero en la tarea de sacar adelante su política de paz. Ha recibido un significativo mandato electoral para hacerlo. Y es lo que se propone, según le dijo en junio a *El País* de Madrid: «Me voy a involucrar más personalmente en la dirección del proceso».

Ya no hay duda de que el actual proceso ofrece más perspectivas de éxito que cualquiera de los anteriores. Las conversaciones llevan más de dos años (casi cuatro si se cuentan las exploratorias) y, si su ritmo denota a veces una exasperante lentitud, lo cierto es que por primera vez una solución negociada del conflicto armado colombiano parece factible.

Las propias Farc han dicho que nunca como ahora han existido reales condiciones para sacar adelante un tratado de paz estable y duradero. El Gobierno habla, con posible exceso de entusiasmo, de que se está «en la etapa final». Ambas partes quieren. Pero con frecuencia tropiezos o torpezas políticas de uno u otro lado alimentan la sensación de que esto no tiene remedio.

Un fracaso plantearía sombríos escenarios de renovada violencia política. Pese a que las Farc y el Eln no tienen la fuerza de años anteriores, una ruptura podría agudizar la guerra y empujarlos a alianzas tácticas con bandas criminales, o a formas imprevisibles de terrorismo. «Con solo mil guerrilleros se puede hacer ingobernable un país», advirtió Pablo Catatumbo a fines del 2013.

El fenómeno de las «bacrim» es una preocupación real. La más notoria de estas bandas, la de «los Urabeños» (rebautizada como el «clan Úsuga»), es liderada por el exguerrillero del Epl alias Otoniel y, según fuentes de inteligencia de la Policía, tiene más de 2.500 hombres armados, que ejercen control territorial en pueblos del Urabá, Córdoba, Nariño y el Magdalena Medio. En algunas zonas han tenido alianzas con las Farc en materia de rutas del narcotráfico. Incluso en acciones armadas, según la Policía, que aseguró que el ataque del 16 de septiembre en el sur de Córdoba, en el que murieron siete de sus agentes, fue realizado por el frente 58 de las Farc en compañía de los Urabeños.

La versión fue avalada de inmediato por el Presidente, pero negada por las Farc, que afirmaron que el choque con la Policía «fue con guerrilleros del Bloque Iván Ríos y con nadie más.» En el mismo comunicado desmienten alianzas con dicha banda criminal y que un comandante suyo tenga parentesco con el jefe Úsuga, «aunque coincidan en el apellido». El propio comandante de las Farc, Timoleón Jiménez, expidió un comunicado en el que habla de «las asombrosas difamaciones contra nosotros».

Luego, la banda misma, en un pronunciamiento de su llamado «estado mayor», niega haber participado en la emboscada contra la unidad policial y llega a lamentar «la muerte de siete colombianos humildes en el ataque de las Farc». El lenguaje del comunicado denota que quiere aparecer como un grupo armado de connotaciones políticas –se llaman a sí mismos Autodefensas Gaitanistas–, y ya es claro que aspiran a diálogos con el Gobierno.

Después de este desmentido de los Urabeños, el director de la Policía y generales del Ejército insistieron en que existía una «alianza macabra» entre las Farc y la banda criminal, mientras que el Ministro de Defensa afirmó que «a las Farc no se les puede creer nada». El mismo día, el jefe de la delegación guerrillera en La Habana, Iván Márquez, reiteró que el Gobierno faltaba a la verdad.

El fiscal general, Eduardo Montealegre, también se pronunció, y el 22 de septiembre advirtió que cualquier alianza de las Farc con bandas involucradas en el narcotráfico, como los Urabeños, pondría en riesgo el proceso de paz e invalidaría los preacuerdos que sobre el tema se han logrado en La Habana. De comprobarse de manera irrefutable la versión de las autoridades, es obvio que surgirían profundas dudas sobre la seriedad de palabra, o la misma cohesión interna de esa organización.

Frente a casos como el de una emboscada a patrulla policial en remoto paraje cordobés, el público y los propios periodistas carecen de elementos de juicio objetivos que les indiquen quién está en lo cierto. Lo que le consta a la opinión es que unos y otros se sindican de falsear la realidad. Y cada quien sacará sus conclusiones, por lo general basadas más en emociones que en evidencias.

Episodios de esta índole pueden ser recurrentes cuando se adelanta una negociación de paz en medio de la guerra, aunque este tiene la particularidad de que produjo muy enfrentadas versiones de las más altas instancias del Gobierno y de las Farc. No fue un incidente menor por sus connotaciones (acción armada de las Farc en presunta alianza con banda narcotraficante) y es posible que nunca sea totalmente aclarado.

Por otra parte, el fiscal Montealegre también ha dicho que no está de acuerdo con extraditar a comandantes de las Farc, pues «la extradición no puede ser un obstáculo para la paz». Afirmación de alto impacto, que produjo la previsible e inmediata reacción del procurador Alejandro Ordóñez, que la calificó como una proclamación de impunidad para el narcotráfico.

Sostuvo además el Fiscal que Estados Unidos estaría de acuerdo, sobre la base de que las Farc se la jugarán a fondo contra el narcotráfico. La verdad es que Washington ha expresado su respaldo a los esfuerzos de paz del gobierno colombiano, pero sobre este punto (y en general sobre las particularidades de la negociación) ha guardado silencio. Llama la atención, sin embargo, que en el texto de los acuerdos revelados, sobre el tema de drogas ilícitas, las Farc respaldan la lucha contra las «organizaciones criminales dedicadas al narcotráfico» y se comprometen «en un escenario de fin de conflicto a poner fin a cualquier relación que, en función de la rebelión, se hubiese presentado con este fenómeno». La redacción es sibilina, pero el mensaje es claro.

Tiempos y leyes

Hablaba de lentitud de la negociación porque, pese a los avances, el factor tiempo pesa mucho. En las pocas declaraciones que di a los medios recién retirado del equipo negociador, insistí en que una excesiva prolongación de los diálogos podría conspirar contra su credibilidad y éxito. Superada la prueba electoral, que fue un termómetro clave, lo recomendable sería hundir el acelerador.

Pero, más allá de deseos personales o subjetivos de llegar rápido a la paz, hay factores objetivos que no favorecen la velocidad del proceso. Los plazos legales, por ejemplo. No es seguro que las leyes que requiere el desarrollo del Marco Jurídico para la Paz estén aprobadas antes de octubre del 2015, cuando se llevarán a cabo elecciones de alcaldes y gobernadores y que sería la fecha ideal para someter el proceso a una refrendación popular; todo si se surten los requisitos jurídicos y si la guerrilla entiende que esas elecciones son ocasión propicia para consultar a la ciudadanía. Como están las cosas, no hay que hacerse ilusiones. Pero si se trata de volcarse hacia la sociedad civil y tomarle la temperatura al país, las Farc deben pensar al menos en cómo lograr presencia y en cómo medirse en regiones y municipios a través de movimientos y organizaciones afines.

El panorama se despejó con el aval de la Corte Constitucional a que los acuerdos de La Habana puedan ser refrendados en las elecciones regionales del 2015, lo que le da vía libre al «referendo por la paz». Siempre y cuando, repito, el acuerdo final esté firmado y el clima político nacional sea propicio.

Al margen de la eventual fecha, lo más riesgoso es la exigencia de participación electoral que demanda un referendo propiamente dicho. De no lograrse el umbral necesario (venticinco por ciento del censo electoral, más de 7 millones de votos), quedaría sin piso legal todo lo acordado en La Habana. Sería la temida repetición de la triste experiencia de Guatemala, donde los acuerdos de paz no recibieron en las urnas el apoyo requerido.

En ese país centroamericano, que vivió treinta años de despiadado desangre interno, el referendo para ratificar los acuerdos Gobierno-guerrilla se llevó a cabo en mayo de 1999, más de dos años después de la firma de los mismos, y solo participó el 18,5 por ciento del electorado. Fue un referendo con cuatro confusas preguntas que buscaban avalar las enmiendas constitucionales planteadas en los acuerdos. En todas ganó el voto en contra. Un antecedente para tener en cuenta.

El rechazo electoral es, por supuesto, una de las principales cartas a las que aquí les apuestan los enemigos del proceso. No sobraría, pues, que se estudiaran otros mecanismos de ratificación democrática del eventual acuerdo, ya que sería tan trágico como absurdo que, tras años de sangre, sudor y lágrimas, el anhelo histórico de la paz en Colombia se frustrara por una inveterada pereza electoral o una consulta mal concebida. La alternativa de una asamblea constituyente que han pedido las Farc para «blindar el proceso» podría resultar aún más imprevisible.

Aunque es difícil predecir cuál será el desenlace definitivo en este terreno pantanoso, el 2017 sí aparece como fecha límite para la firma de acuerdos finales, tanto con las Farc como con el Eln. Por obvias razones, estos deberían comenzar a aplicarse a más tardar en el último año del gobierno de Santos. A menos que la guerrilla quiera que la fase de implementación se inicie en una administración cuyo compromiso con el proceso no se conozca. Pero si para ese entonces predomina en el país un auténtico clima de paz, si es lo que claramente quieren y reclaman la gran mayoría de los colombianos, si se ha superado el escepticismo y la guerrilla ha logrado desarmar las prevenciones públicas con muestras convincentes de buena fe, la opción de un referendo o consulta popular sería entonces menos riesgosa. Y la de una asamblea constituyente, limitada a temas bien definidos, tampoco sería desatinada.

Plata y posconflicto

Lo ideal sería que Colombia entrara al 2016 con un acuerdo final firmado con las Farc y el Eln. Para abordar sin más dilaciones la tarea de fondo. Esa que va a demandar aún más tiempo, paciencia y compromiso: la del tan invocado posconflicto. La tercera y definitiva fase del proceso de paz, con todas las exigencias y complejidades que significarán la verificación e implementación simultánea de todo lo acordado. Se calcula que este periodo, el de la consolidación de las bases sociales y económicas y políticas para la paz, durará por lo menos diez años.

Para llegar a esa etapa habría que apretar la marcha. Pero del lado de la guerrilla no parece haber premura alguna. Y del lado gubernamental, acelerar exige alinear más al aparato del Estado en general y del Poder Ejecutivo en particular. Descoordinación, indiferencia, libretos disonantes, fricciones internas deben quedar atrás en este nuevo periodo. Para volver realidad el anhelo nacional de la paz se requieren menos disonancias y un compromiso más dinámico de todos los ministerios y agencias claves del Gobierno.

De firmarse un acuerdo final, su cumplimiento se convertirá en tarea fundamental del Estado. En una responsabilidad política y una obligación económica de enormes dimensiones, a la cual no podría ser inferior. Porque la paz no echará raíces de fondo en un país tan sembrado de violencias cruzadas si las partes que la firman no cumplen lo pactado.

Garantizar (e invertir bien) los billonarios recursos que requerirán todas las reformas acordadas y darles, además, a los combatientes desmovilizados efectivas garantías políticas y de seguridad para ejercer oposición son dos pilares institucionales de la negociación. Inquietante en este sentido que, comenzando por el Ministro de Hacienda, nadie sepa hoy cuánto costará el posconflicto. Y que las nuevas cargas tributarias proyectadas solo alcanzarán para tapar el hueco fiscal existente (por ahora de 12,5 billones de pesos) en el Presupuesto General de la Nación para el 2015.

Los retos económicos de la paz son, pues, un enigma. La Comisión de Paz del Senado ha calculado que un presupuesto para el posconflicto oscilaría entre 80 y 90 billones de pesos en diez años. Suma que algunos parlamentarios consideran desmesurada e inviable. Una voz tan autorizada como la del economista José Antonio Ocampo, director de la Misión Rural para la Construcción de la Paz, admite que aún no existe un estimativo serio de la magnitud de esta inversión. Pero sí anuncia que la financiación de los acuerdos tendrá que venir de mayores impuestos y endeudamiento del Gobierno Nacional. Que la paz costará más que la guerra es una cruda realidad que los colombianos contribuyentes debemos comenzar a asimilar.

Para el Estado, el compromiso de la paz exige desde ya un manejo más riguroso de las finanzas públicas (como el anunciado recorte de diez por ciento en la nómina oficial) y un taponamiento drástico de la vena rota de la corrupción. Sería inconcebible que en el momento de echarse la mano al bolsillo para financiar lo acordado este estuviera vacío. Para las Farc, sobra decir que su reincorporación a la vida legal y política significa un abandono total de las armas y de cualquier tentación de mantener hacia el futuro el perverso esquema de la «combinación de las formas de lucha». Prepararse para una nueva forma de hacer política debe conllevar un auténtico cambio de actitud y una pública y franca mirada sobre su pasado.

Un poco a la manera como lo ha hecho, desde la orilla de la legalidad, el congresista del Polo Democrático Iván Cepeda, quien sostuvo a comienzos del 2014 que «las organizaciones de izquierda necesitan asumir sus errores con humildad y grandeza. La porción que les corresponde en la espiral de odio y pasiones políticas que ha vivido el país; sus desaciertos en el análisis de la realidad nacional al haber importado modelos sin contextualizarlos; su incapacidad de dialogar con determinados sectores sobre muchos tópicos».

Palabras del hijo del asesinado senador del Partido Comunista Manuel Cepeda Vargas (quien fuera muy cercano a las Farc y en cuya memoria estas fundaron el Frente «Manuel Cepeda»), que traducen actitudes autocríticas que de parte y parte se necesitan. Sin ellas, difícilmente germinará en Colombia el «desarme de los espíritus» que debe abonar la construcción de la paz estable y duradera que plantea el Acuerdo General de La Habana.

En una entrevista durante la pasada Feria del Libro de Bogotá, Mario Vargas Llosa sostuvo que «la guerrilla colombiana debe firmar una rendición. No tiene ningún tipo de superioridad moral, que es fundamental para que una guerrilla tenga éxito... Nadie la ve con futuro; ni ellos mismos». Las palabras del novelista peruano encierran más de una verdad y reflejan lo que seguramente piensa una apreciable mayoría de colombianos y de miembros de la comunidad internacional. Pero lo deseable no es en este caso lo probable. Por más rechazados o impopulares que sean, no van a firmar una rendición quienes no han sufrido una categórica derrota militar.

El punto de «dejación de las armas» fue, no casualmente, el más demorado y complicado en los encuentros exploratorios de La Habana. Para las Farc, equivalía a una rendición y ellas no habían sido vencidas. No aceptaron que figurara el término «entrega de armas» en el texto del acuerdo, que habla es de «dejación» y de reincorporación a la vida civil y política.

Andrés París lo anunció hace más de un año: «Colombia no va a ver la foto de las Farc entregando armas». Y lo repitió hace poco Catatumbo: «Las Farc sí van a dejar las armas, pero no a entregarlas». Es, como se ve, un punto de honor para quienes nacieron en medio de los fierros. Se trata, entonces, de no empuñarlos más. O de entregárselos a un tercero internacional. Y de emplear otras formas de lucha para convertir sus cincuenta años de existencia en algo políticamente creíble y socialmente viable.

Algunos especialistas plantean que, pese a que aún no hay acuerdos, el posconflicto ya empezó; y citan hechos como el de que cada año más de mil guerrilleros o miembros de grupos armados ilegales se desmovilizan voluntariamente. Esto es cierto y positivo, pero cuando se habla del posconflicto es clave entender que el fin de la confrontación armada no será el fin del conflicto social y político. Este continuará, y posiblemente se intensificará, en forma de protestas sociales, paros campesinos, huelgas obreras o movilizaciones cívicas de diferente índole. Son, por lo demás, los escenarios naturales donde la guerrilla desmovilizada puede hacer presencia y adquirir protagonismo social y político. Con garantías, sin armas y... quién sabe con cuántos votos.

La paz territorial

Las zonas donde probablemente desarrollarán su inicial activismo político serán los territorios donde hace años tienen influencia y ejercen control. Que ya no podrán basarse en el poder intimidatorio del fusil, sino en su arraigo social en las comunidades y en la capacidad que tengan para interpretar sus anhelos y reclamos.

Es la oportunidad para mostrar el capital político que se supone han acumulado tras tantas décadas de lucha armada en nombre del pueblo. Y si lo tienen, y comprueban liderazgo real en la lucha política abierta y limpia, corresponde al Estado garantizar que lo puedan ejercer sin temer por sus vidas. De la misma manera, la población de estas zonas debe poder expresarse libremente por cualquier alternativa política, al margen de las preferencias de guerrilla o Gobierno. Nunca más política y armas juntas es la consigna.

«La paz se construye desde los territorios que más han sufrido la guerra» ha sido una reiterada tesis de Sergio Jaramillo, hombre clave de la estrategia negociadora del Gobierno, quien insiste en que el proceso de paz es el instrumento para desarrollar las instituciones en las regiones que han estado más marginadas y golpeadas por el conflicto, además de representar la gran oportunidad para realizar los cambios que el Estado no ha logrado concretar en cincuenta años.

Una vez firmado el acuerdo final, ya en la fase de verificación e implementación, la movilización de la gente en estos territorios alrededor de la construcción de la paz será un factor importante. La participación activa de su población es vital para impulsar los acuerdos y propiciar una nueva alianza entre el Estado y las comunidades, que rompa con el clientelismo del pasado y aísle a los intermediarios corruptos que siempre han frustrado estos proyectos.

Los grandes recursos que han de invertirse exigirán una estrecha vigilancia de la población local, que debe ser actora y no solo receptora. Y quienes han dejado las armas tienen que formar parte visible de esta transformación en los territorios, llenando los espacios para construir institucionalidad en unas regiones donde el Estado ha brillado por su ausencia.

Son algunas de las ideas que ha planteado Jaramillo sobre la «paz territorial», donde subyacen siempre la cuestión agraria y el problema de la tierra, que están en el meollo del conflicto con las Farc. Lo están hace sesenta años y lo siguen estando ahora. Por eso la resolución y desarrollo del primer punto de la agenda serán fundamentales en la viabilización de todo el proceso. Y por eso cabe esperar que la gestión agraria del Gobierno muestre pronto mayor dinámica. Porque hay síntomas inquietantes: el descarrilamiento de las anunciadas locomotoras del campo, la clientelización de las entidades del sector, el poco avance sobre el nuevo catastro rural (punto clave del acuerdo agrícola), la parsimonia en los procesos de restitución, las amenazas y el asesinato de sus voceros...

Uno de los riesgos evidentes de la apuesta por la paz es que sus resultados de fondo no podrán verse a corto plazo. La restitución de tierras y la reparación de víctimas, por ejemplo, son procesos que no solo tardan, sino que marchan a un ritmo demasiado lento. Hay que entender también que la reincorporación de los guerrilleros a la vida civil será gradual y que la consolidación social y política de la paz en los territorios más afectados durará varios años.

Para que el país avance hacia la terminación del conflicto, el ciudadano del común tiene que, primero, sentir esta meta como un auténtico anhelo nacional. Debe convertirse en objetivo que convoque de verdad a la gran mayoría de los colombianos. Y no se trata solo de desear la paz (¿quién no?), sino de asimilar los retos, compromisos y sacrificios que entraña una solución negociada. No habrá transición hacia una paz estable y duradera si no se apoya en pactos políticos locales, regionales y nacionales y en amplios consensos sociales. Porque, como ya se ha dicho, un acuerdo final con las Farc y el Eln tendrá que ser sometido a algún mecanismo de refrendación popular.

Víctimas: ¿sin comienzo ni fin?

Mientras procuro aterrizar estas líneas, en La Habana las delegaciones del Gobierno y Farc prosiguen con el cuarto tema de la agenda: víctimas. El más sensible, por su carga emotiva y visceral, en una sociedad que ha padecido hace tanto tiempo una violencia tan inicua.

Las cifras son siempre imposibles de digerir. En agosto del 2014, la Defensoría del Pueblo registra seis millones y medio de víctimas de la guerra. Un número espeluznante. Más de 220 mil muertos, más de cinco millones de desplazados, medio millón de refugiados, miles y miles de secuestrados y desparecidos, incontables hogares destrozados... Víctimas, la mayoría civiles inocentes, de un conflicto cuya degradación y crueldad no han conocido límites. Identificar a los máximos responsables, aplicar justicia, reparar a las víctimas, crear las condiciones políticas y sociales que eviten la repetición de tal barbarie son todos pasos necesarios –y largos– hacia una paz de veras duradera.

Tiempo y muchas tripas demandará también el tratamiento de los temas paralelos de verdad, pena, perdón... «En Colombia, el perdón es un mal necesario», me dijo hace poco el exprovincial de los jesuitas Francisco de Roux, un sacerdote que se la ha jugado como pocos por la causa de la paz. Tan cierto como que «el perdón no borra el pasado, pero sí extiende el futuro» (Paul Boise), o que puede ser «el pilar de la paz», como lo expresó después de reunirse con sus victimarios en La Habana Constanza Turbay, cuya familia –los Turbay Cote– fue fusilada a sangre fría en una carretera del Caquetá. Traumas y pesadillas que la historia enseña que hay que encarar de manera directa y franca, para expurgarlos en el presente y no convertirlos en motivo de prolongación indefinida del cierre del conflicto.

Cabe esperar, en este sentido, que la comisión de la verdad que se contempla (y la de «esclarecimiento histórico» que se acordó luego en La Habana por exigencia de las Farc y ya está trabajando) contribuya a oxigenar y no a enredar las negociaciones. La sola integración de la comisión de la verdad, así como la definición de sus alcances y del momento en que debe actuar, es decisión delicada que repercutirá en todo lo que venga una vez firmado el acuerdo final.

Las comisiones de la verdad son por lo general organismos semioficiales que se establecen por un periodo de tiempo corto, de uno a tres años en promedio, para investigar un tipo de violaciones, producir un informe final y formular recomendaciones de reformas. Pueden emplear a cientos de personas para recoger testimonios, organizar audiencias públicas, efectuar investigaciones y, en algunos casos, tener el poder de citación o el derecho de acceder a oficinas y documentos oficiales sin previo aviso.

En los últimos veinticinco años se han creado comisiones de la verdad en más de treinta países (ocho en América Latina) y el contexto para establecerlas ha sido usualmente el de un cambio de régimen (de autoritario a democrático) o el fin de una confrontación armada (con un vencedor más o menos tácito en el terreno militar y/o político).

Una de las particularidades del caso colombiano es que se concibe una comisión de la verdad en el marco de una democracia establecida, en medio de un conflicto armado aún activo (uno de los más largos del mundo desde la Segunda Guerra Mundial), y en el que gran parte de la sociedad civil tiene, de antemano, profundas dudas sobre el mérito mismo del proceso de paz.

Caso distinto al de otras comisiones de la verdad del continente. Por ejemplo, la de Argentina, la llamada Comisión Nacional para la Desaparición de Personas (Conaped), que fue la primera y tal vez la más significativa del continente por su impacto y resultados. También conocida como

Comisión Sábato, trabajó entre 1983 y 1984, cubrió el periodo 1976-1983, y en 1985 rindió su célebre informe, titulado «Nunca más». Entre sus principales hallazgos, identificó mecanismos sistemáticos de violación de los derechos humanos y documentó más de nueve mil desaparecidos durante la dictadura militar.

La Comisión de la Verdad argentina contribuyó decisivamente a la pacificación del país, pues el Estado no intentó maniatarla ni cooptarla, el gobierno de Alfonsín se la jugó contra la impunidad, las organizaciones de la sociedad civil vinculadas a los derechos humanos no cejaron en su empeño por la justicia y la comunidad internacional le dio un claro respaldo.

El politólogo argentino Juan Gabriel Tokatlián, conocedor del tema, me comentó que también fue fundamental que se colocara al frente de la Conaped a una figura tan respetada como el novelista Ernesto Sábato, y que contara con miembros de diferentes orientaciones religiosas y civiles, así como juristas y personalidades destacadas en el campo de la cultura y las artes. Fueron claves, por supuesto, la independencia de la Comisión y el hecho de que realizara sus tareas muy poco tiempo después del fin de la dictadura.

En Argentina, la composición de la Conaped le dio la indispensable legitimidad interna que demandan estos organismos, además de la también necesaria relevancia internacional. En Colombia, cabe preguntarse quiénes podrían reunir las condiciones básicas de reputación, legitimidad y credibilidad para integrar una comisión tal.

Se trata, como decíamos, de países, circunstancias y épocas muy diferentes (1983 –una feroz dictadura que colapsa–, 2014 –un gobierno electo que busca la paz–), pero vale la pena tener en cuenta que la Conaped fue fundamental para el posterior funcionamiento de la justicia argentina. Le dio, en palabras de Tokatlián, una «segunda oportunidad» para enmendar su turbio y triste pasado. Desde entonces, la causa de los derechos humanos se ha enraizado gradualmente en ese país, que aún hoy sigue produciendo asombrosos encuentros de hijos y nietos de desaparecidos durante la dictadura con sus familiares.

Hace poco le dieron la vuelta al mundo las impactantes imágenes de Estela de Carlotto, líder de «las abuelas de la Plaza de Mayo», que luego de 35 años de búsqueda pudo conocer y abrazar a su nieto, raptado al nacer por las fuerzas de seguridad y dado en «adopción». Su hija Laura, integrante de la guerrilla peronista de los «Montoneros», capturada cuando tenía veintitrés años y tres meses de embarazo, dio a luz en un hospital militar, regresó a su celda sin su bebé y fue ejecutada tres meses después.

El encuentro de la abuela Carlotto con su nieto de 36 años fue noticia internacional, que también recordó uno de los capítulos más siniestros de la «guerra sucia» argentina: el secuestro de «subversivas» embarazadas (y luego eliminadas) cuyos hijos eran repartidos entre familias escogidas por miembros de la cúpula militar. En el conflicto colombiano, con todos sus horrores contra la mujer –aborto obligado de jóvenes guerrilleras, violaciones masivas de los paramilitares–, no ha figurado esta particular aberración del planificado rapto y repartición de recién nacidos.

Lo relevante del caso argentino es que, pese a antecedentes como estos, o a que haya cientos de militares encarcelados y que los juicios continúen, en ese país no ha habido actos de venganza. Nadie ha tomado la justicia por mano propia en Argentina. Mucho de esto hay que rastrearlo en el trabajo serio, responsable y sólido de su Comisión de la Verdad, que dejó una marca indeleble. El reto en Colombia es aprender (sin imitar) del trabajo de esta y de comisiones de otros países, para identificar lo que aquí pueda ser reproducido.

Como un «primer paso» hacia una comisión de la verdad, en La Habana se acordó también, por exigencia de las Farc, la Comisión Histórica del Conflicto y sus Víctimas, cuyo contenido deben definir sus doce integrantes (unos sugeridos por el Gobierno; otros, por las Farc). Historiadores y especialistas del tema han expresado reservas sobre el funcionamiento, alcances y efectos de este peculiar organismo.

Me pregunto: ¿por dónde comienza y dónde termina una comisión encargada de señalar orígenes y factores de la violencia colombiana contemporánea? ¿Por el asesinato de Rafael Uribe Uribe, en 1914? ¿Por la matanza de las bananeras, en 1928? ¿Por el asesinato de Gaitán, en 1948? ¿Por la violencia liberal-conservadora de los años cincuenta? ¿Por el surgimiento de la guerrilla marxista, en los sesenta? Asunto delicado y desafío muy complejo a estas alturas del proceso. Las Farc han planteado que la comisión arranque en los años treinta, con la frustrada reforma agraria de López Pumarejo, que ubican como antesala de la violencia política contemporánea.

El historiador Jorge Orlando Melo ha recordado que las comisiones de verdad o esclarecimiento no pueden establecer una «Historia oficial». Una Verdad con mayúscula sobre lo sucedido. Se trata de abrir espacios para oír explicaciones, confesiones, admisiones de culpabilidad, verdades posibles... Otros conocedores del tema se preguntan si es conveniente o viable intentar construir un «relato compartido» o incluso «relatos plurales» sobre los orígenes y responsables de la violencia en Colombia. Si esto no será motivo de polémica permanente y complicación innecesaria de las negociaciones.

Algunos consideran, incluso, que dentro de los diálogos que se realizan esta discusión es prematura y acaso contraproducente, ya que, entre otras razones, un informe al respecto llevaría a imprevisibles recriminaciones entre sectores políticos cuyo apoyo para el objetivo superior de la paz es indispensable. Y en el campo de la justicia penal, muchos se preguntan si lo prioritario es investigar medio siglo de violencia pasada o prevenir la nueva violencia que pueda cernirse sobre las comunidades.

Es posible que a través de esta comisión de esclarecimiento del conflicto que tanto exigieron, las Farc pretendan una especie de constancia histórica que las absuelva de sus responsabilidades en la violencia colombiana, para quedar esencialmente como víctimas de un fenómeno de origen estatal. No se han destacado, en todo caso, por su actitud autocrítica en este campo. La desafiante salida de su comandante, Timochenko, al proclamar que no tienen nada de qué arrepentirse, causó desconcierto entre las víctimas y rechazo en amplios sectores de opinión. Poco después aclaró que tenían «la mejor disposición (...) de explicar cuanto sea necesario y asumir las correspondientes consecuencias».

¿Hasta dónde? Su jefe negociador en La Habana, Iván Márquez, dijo que hay que ir a fondo en el tema, pero que ellos no se incluyen entre los «máximos responsables generadores del conflicto». ¿Un paso adelante y dos atrás? ¿Uno atrás y dos adelante? Humberto de la Calle puntualizó bien la cuestión cuando instó a las Farc a asumir de manera más franca y categórica su responsabilidad ante las víctimas. Al cierre del ciclo 29 de las conversaciones y de la tercera visita de víctimas a La Habana (2 de octubre), De la Calle fue enfático en su llamamiento: «Es el momento de asumir responsabilidades de manera nítida. Sin excusas. Sin reticencias». Es algo que los colombianos aún esperan que la guerrilla haga de forma de veras convincente.

De lo que no pecan las Farc es de ingenuas. En lo de la Comisión Histórica, los pasos que dieron fueron hábilmente calculados. A diferencia del Gobierno, al que le faltaron previsión y decisión. Pareció cogido fuera de base, o presionado por afanes electorales al aprobar la creación de esta comisión. En todo caso, la manera apresurada como la puso en marcha y seleccionó a sus candidatos contrasta con la preparación y sagacidad que demostró la contraparte. Desde el 2013 circula un libro (*Solución política y proceso de paz en Colombia*, Ed. Ocean Sur, 2013), con largos ensayos sobre el tema de la violencia colombiana escritos por miembros del equipo académico sugerido por las Farc, mientras que, ya instalada dicha comisión, los intelectuales propuestos por el Gobierno aún no habían interactuado.

La presencia de víctimas del conflicto en la mesa de La Habana es un hecho de singular significado y trascendencia. El debate sobre su representación y los iniciales enfrentamientos entre ellas simplemente confirmaron la emotiva complejidad de este tema. Se trata de una discusión susceptible de manipulaciones políticas y tan cargada de tensiones entre las víctimas de los distintos victimarios –Estado, «paras», guerrilla– que, mal manejada, podría lesionar el proceso de paz.

Pero, pese a reticencias y fricciones, las visitas de delegaciones de víctimas a La Habana han sido un incuestionable avance (todo lo que dicen en sesiones cerradas debería conocerse más temprano que tarde), aunque como están las cosas es posible que el debate sobre este punto no concluya en el 2014. Hondas son sus raíces de rabia y dolor, y muy complicadas las expectativas de esclarecimiento de todo lo sucedido. Sin hablar del inextricable desafío que representa encontrar, aun en el más reciente contexto histórico de nuestro conflicto, un equilibrio entre justicia, perdón y paz. O de la absoluta imposibilidad de que el sistema legal colombiano se ocupe siquiera de un pequeño porcentaje de todos los crímenes cometidos en una matazón tan prolongada y masiva como la nuestra.

«El Derecho Penal Internacional no ofrece una salida clara para un caso como el colombiano», dijo hace poco en Bogotá uno de los propios creadores de la Corte Penal Internacional, el alemán Claus Kress, para quien la prioridad aquí es «el fin del conflicto y no la aplicación de estándares ideales de justicia». Ya está quedando claro, pues, que un organismo como la Corte Penal Internacional, que lleva doce años de fundado, mal puede tener la última palabra en relación con una sexagenaria guerra interna como la de Colombia. Algo parecido puede decirse sobre la Comisión Interamericana de Derechos Humanos (CIDH) y de su capacidad de injerencia en la resolución del conflicto armado interno de este país.

Ante los más de diez mil expedientes que cursan contra guerrilleros, el fiscal general Eduardo Montealegre sostuvo en octubre que el país no puede adelantar juicios durante décadas y propuso un cierre jurídico definitivo de los procesos de guerrilla y Fuerza Pública, tras la firma del acuerdo final de paz. Su propuesta «busca una cosa juzgada universal que abarque a todos los actores del conflicto».

No exime de cárcel los crímenes de lesa humanidad ni a sus máximos responsables, pero plantea una justicia alternativa para todos los guerrilleros rasos, que no serían objeto de acción penal sobre la base de que colaboren en labores de desminado y efectúen otras formas de reparación. Por otra parte, Montealegre también propuso un proceso de sometimiento a la justicia para las bandas criminales, como los realizados en su momento con los grupos paramilitares y los carteles del narcotráfico.

Los planteamientos del Fiscal General parten del reconocimiento de que el crimen organizado ha desbordado la capacidad de respuesta del Estado y es necesario buscar salidas realistas. De hecho, algunas de estas bandas ya han contactado a la Fiscalía en procura de un tratamiento que contemplaría rebaja de penas por confesión y sometimiento. También aspiran a algún estatus político, que Gobierno y Fiscalía han dicho no otorgarían en ningún caso.

Un eventual sometimiento de las bandas criminales serviría, sin duda, para consolidar el posconflicto, pero la composición y el comportamiento de grupos tan entrañados con narcotráfico, extorsión y delincuencia pura exigen que las autoridades procedan con pies de plomo.

Las bacrim son la versión actualizada del narcoparamilitarismo de los años ochenta en el Magdalena Medio. Con más profundas y extendidas raíces económicas y geográficas: del Chocó al Vichada; del Guaviare a la Guajira. Fenómeno complejo y enraizado con narcotráfico, guerrilla desmovilizada, sectores de la fuerza pública, de la clase política y con negociados de tierra, contrabando y extorsión, que requiere un tratamiento adecuado y riguroso por parte del Estado que no puede caer en improvisaciones e incumplimientos en su estrategia de sometimiento de estos grupos criminales a la justicia. Una intensificación de la criminalidad en el posconflicto y el copamiento de los territorios donde este se comience a implementar son apenas algunos de los previsibles riesgos que plantean estas bandas.

En todo caso, como era de esperarse, las declaraciones del Fiscal sobre «cierre jurídico» para los actores del conflicto armado causaron una notable controversia.

Voceros del uribismo dijeron que debía renunciar porque había olvidado que «es el jefe del ente acusador y no un comisionado de paz que pide absolver». Y desde Washington, el director de la influyente ONG Human Rights Watch, José Miguel Vivanco, manifestó que la propuesta de Montealegre era un canto a la impunidad y «una afrenta a las víctimas». Distintos expertos en la materia piensan que, al margen de fórmulas jurídicas o políticas que se planteen, las Farc deben aceptar algún parámetro de justicia transicional.

El propio Gobierno, que tendría razones para apoyar las alternativas que abre el Fiscal, tomó distancia. Su ministro de Justicia, Yesid Reyes, advirtió que las propuestas de Montealegre (al que algunos de sus detractores apodan el «fiscal Bocalegre») eran «absolutamente personales» porque «provocan polémicas innecesarias» y «anticipan conclusiones» sobre debates que aún no se han dado.

Resulta claro que la intención del Fiscal General es contribuir al éxito del proceso de paz, pero cabe preguntarse qué tan recomendable es anunciar absoluciones y beneficios a la guerrilla antes de que todo esté acordado y firmado. Hay ofrecimientos que, por provenir de donde provienen, pueden debilitar la posición negociadora del Estado o reducir su margen de maniobra. Juristas especializados en estos temas, como Iván Orozco Awad, plantean que aquí habría que «repolitizar el concepto de castigo» y que Colombia, dada la singular complejidad de su conflicto, debe encontrar su propio proceso de justicia transicional. La verdad es que si se logra un gran consenso nacional en torno de los acuerdos de paz, y si estos reciben la aprobación de Estados Unidos y de los gobiernos europeos, perderían relevancia posibles objeciones de cortes internacionales.

Bombazos, bandazos y... punto final

La ofensiva de atentados de las Farc y el Eln contra la infraestructura, con su saldo paralelo de víctimas inocentes, llevó al Presidente a decir por primera vez, en agosto, que «el proceso puede terminar». La advertencia tiene que ver con la indignación pública que estas acciones han desatado. Las encuestas sugieren que, de continuar esta escalada, una mayoría de colombianos sería partidaria de levantarse de la mesa.

¿A qué juegan estos tipos?, se pregunta la gente. ¿Son insensibles al daño social que causan? ¿Le están cogiendo la caña al Gobierno? ¿Midiéndole el aceite a la Fuerza Pública? ¿Son sacudones propios de negociaciones de paz antes de la recta final? ¿Escalamientos previos a un posterior apaciguamiento de hostilidades?

Todo indica que la guerrilla recrudece sus atentados para llegar más fuerte a los puntos de la agenda que le resultan muy sensibles y donde se siente insegura: víctimas y dejación de armas. Reconocer sus responsabilidades y excesos, darles la cara a sus víctimas, pedirle perdón a la sociedad, decirles adiós a las armas crea explicables inseguridades y los lleva a asumir equivocadas posiciones de intransigencia y soberbia. Pero tendrán que calibrar hasta dónde su capacidad para dinamitar la infraestructura y dejar a la población sin agua, luz y transporte puede explotar también la paciencia y tolerancia públicas frente al proceso.

En la historia universal de los conflictos armados, una cosa es el sabotaje económico que pueda practicar una resistencia popular contra un régimen opresivo que ha conculcado libertades, y otra cosa es atentar sistemáticamente contra la de por sí precaria calidad de vida de una población que no se siente en dictadura ni representada por esta violencia, de la que suele ser la primera damnificada. Así como, en materia de justicia transicional y víctimas, una cosa es el tránsito de una dictadura a una democracia, y otra es pasar de una guerra interna a una paz negociada dentro de un esquema democrático (por más imperfecto que este sea), como es el caso de Colombia.

El Gobierno ha reiterado que no habrá fin de operaciones militares hasta no llegar al acuerdo final, lo que le da pie a la guerrilla para seguir en lo suyo. Pero esta circunstancia no excluye que, en la medida en que el proceso siga adelante, hasta volverse de veras irreversible, se pueda producir un paulatino desescalonamiento de la confrontación, o ceses del fuego locales y temporales que vayan ambientando un eventual cese bilateral definitivo. Un paso importante en esta dirección sería que la guerrilla contribuyera desde ya al desminado del territorio, sin esperar a un alto el fuego total. Si hace ya quince años el Ejército cesó unilateralmente sus minas, ¿por qué la guerrilla no habría de renunciar de una vez a las suyas, para aclimatar más el eventual cese del fuego total bilateral que se reclama?

De ahí la importancia de que se haya instalado en La Habana, con presencia de militares activos, la Subcomisión Técnica que tratará los temas de alto el fuego y de hostilidades y de dejación de armas, que hacen parte del último punto sustantivo de la agenda.

Aunque aún simbólico, es tal vez el paso más significativo que se haya tomado hacia la terminación del conflicto en el campo real de la confrontación armada. Levantó ampolla dentro de la institución militar y afloraron versiones sobre «cisma» y oficiales que no habrían aceptado formar parte de esta subcomisión, pero lo cierto es que contó con el apoyo claro del Ministro de Defensa y todos los seleccionados que viajaron a La Habana son reconocidos oficiales de inteligencia conocedores del tema. Es obvio, por lo demás, que el Presidente requiera una cúpula militar alineada con sus políticas de paz.

La llegada en octubre a la capital cubana de figuras tan notorias como Carlos Arturo Losada, Pastor Alape o Romaña también levantó ampolla en la opinión y alimentó especulaciones tremendistas, aunque hechos como este son los que le dan piso firme a la posibilidad de acuerdos concretos sobre el cierre del conflicto.

El riesgo de estar escribiendo sobre un fenómeno en desarrollo, lleno de altibajos y sometido cada día a nuevos bandazos o bombazos, es no saber cómo ni cuándo parar. Es lo que me ha pasado con este texto. Por eso creo que su punto final debe coincidir con fechas como el segundo aniversario de la instalación pública de la mesa de negociación de La Habana, el 18 de noviembre del 2012, que fue plataforma clave de lanzamiento de este proceso.

Hoy se puede mirar hacia atrás; ver el camino recorrido y los logros obtenidos. Acuerdo general para la terminación del conflicto, acuerdos parciales sobre desarrollo agrario, participación política, drogas ilícitas, subcomisión técnica con militares, presencia de más de la mitad del Secretariado de las Farc en La Habana, proceso en ciernes (aunque muy demorado) con el Eln, visita de las víctimas a La Habana, Comisión Histórica del Conflicto son todos avances significativos, que le imprimieron lo que De la Calle calificó a fines de agosto como «una nueva dinámica» a las negociaciones de paz. También las Farc manifestaron luego su «complacencia con la dinámica favorable que va tomando el proceso de diálogo». El propio Juan Manuel Santos sugirió que se podría estar entrando en una «fase final».

Pero cabe tener cuidado con las cuentas alegres. Con grupos armados tan veteranos no se puede, ya lo había dicho, pensar con el deseo. Las Farc no demoraron en empañar los entusiasmos del Gobierno y en sucesivos comunicados su delegación en Cuba dijo que el proceso no está en fases finales, que no les sirve el marco jurídico, que no aceptan el llamado comando de transición, que no habrá entrega de armas y que cualquier desmovilización de su parte está condicionada a la desmilitarización del Estado y la sociedad; al desmonte de las políticas económicas neoliberales y a profundos cambios sociales y políticos. Casi nada. ¿Vuelve y juega?

El lenguaje retador de estos pronunciamientos de comienzos de septiembre recordó el duro discurso de Iván Márquez en Oslo, en la instalación formal de los diálogos, que cayó como un baldado de agua fría sobre el ánimo optimista que había despertado el anuncio del Acuerdo de La Habana tres meses antes. Para algunos, esa beligerancia verbal de la guerrilla debe entenderse como parte de una estrategia política para tratar de ganar terreno en la mesa de negociación. Pero a riesgo de socavar su credibilidad pública. El ministro de Defensa, Juan Carlos Pinzón, replicó que «cada declaración de esas genera más desconfianza y rechazo entre la gente» y los instó a hablar menos y negociar más.

Hay quienes piensan que no hay que estar reaccionando ante todos los desplantes y pronunciamientos de la cúpula guerrillera, lo que puede terminar siendo muy desgastador para el Estado y la propia solidez de su posición negociadora en la mesa. Un editorial de *El Nuevo Siglo* lo resumió bien: «No hay que caer en el juego de una guerrilla que solo busca desafiar, impactar y crear un ambiente de zozobra que le permita, según su estrategia, ganar terreno en la negociación».

Puede discutirse si con esto gana terreno. Lo que sin duda crea es zozobra, al reiterar exigencias y demandas que, se presume el Gobierno ha dejado en claro, no forman parte del acuerdo. Se trata de episodios recurrentes, pues con inusitada frecuencia las Farc desmienten al Jefe del Estado y dan versiones diferentes de lo que supuestamente ocurre en la mesa.

En uno de sus comunicados calificaron de «ficción atrevida» el anuncio presidencial del Comando Estratégico de Transición, que estaría encargado de supervisar y garantizar la transición, desmovilización y desarme de la guerrilla. Términos que, según las Farc, «no existen en la gramática del acuerdo de La Habana, ni mucho menos en el lenguaje de la guerrilla».

Todo lo cual no hace sino aumentar la confusión del ciudadano del común, que no sabe qué creer ni esperar en medio de tal barahúnda de versiones discrepantes. Queda una desalentadora sensación de estancamiento, e incluso de retroceso, cuando la realidad de fondo es la de un avance, por más tortuoso y lento que parezca. La cuestión es que pocos lo perciben, porque priman el bochinche mediático y los pronunciamientos sonoros. En los que, la verdad sea dicha, las Farc suelen marcar más puntos que el Gobierno.

Encomiable, pues, aunque tal vez sorprendente, que el Presidente reconociera con crudeza las falencias de su estrategia de comunicación, al revelar en septiembre que, según las propias encuestas del Gobierno, «el sesenta por ciento de los colombianos no sabe lo que está pasando y desconoce los progresos del proceso de paz». Saben, eso sí, que se habla de paz, porque hace cuatro años oyen del tema todos los días por todos los medios, pero no entienden cómo, cuándo ni por dónde llegará. A su vez, sectores empresariales se preguntan si la fijación del Jefe del Estado con el tema de la paz no lo ha desconectado de otros apremiantes problemas nacionales.

Dos cosas que parecen contradictorias son claras: la gran mayoría de los colombianos desea el fin del conflicto, pero casi la mitad de la población no confía en el proceso. Su escepticismo también se alimenta de la beligerancia retórica que lo ha rodeado. No es fácil ambientar la paz cuando, además de los sistemáticos hechos de violencia, prima la pugnacidad verbal.

«Hay que desescalar el lenguaje», dijo Iván Márquez en entrevista en Canal Capital con Antonio Caballero. Razón no le falta al jefe guerrillero, y bien harían en aplicar el concepto en sus permanentes pronunciamientos públicos, que enturbian el clima y añaden a la confusión reinante.

La respuesta de las Farc a la decisión del Gobierno de crear un comando de transición es un buen ejemplo. Anunciaron entonces que integrarían por su parte un comando guerrillero de normalización, dizque para «estudiar el regreso de la fuerza militar a su rol constitucional» (lo que el Ministro de Defensa descalificó como «un mal chiste y una payasada»). Exigieron, además, la integración de otra comisión especial –distinta de las dos ya aprobadas (Histórica y de Víctimas)– para investigar todo lo relacionado con el paramilitarismo, cuya «supresión total» demandan las Farc. Como si tan loable propósito dependiera de un decreto oficial, o como si nada tuvieran ellas que ver con el surgimiento y expansión de este tenebroso fenómeno. Fácil imaginar, en fin, la interminable polémica que desataría una comisión sobre el tema.

Hay quienes opinan que la ofensiva verbal de las Farc tiene el trasfondo político de que «han entrado con paso firme a la fase neurálgica de la negociación». Pero en su ritmo, y no en el del Gobierno. Es lo que plantea la periodista especializada en el conflicto Marisol Gómez Giraldo (El Tiempo, 07/09), para quien esa guerrilla «necesita tiempo para hacer el tránsito de las armas a la democracia». Ese mismo día, en el mismo diario, el excomandante guerrillero salvadoreño Joaquín Villalobos escribió que se trata más bien de un explicable «miedo al final», porque la aproximación de la paz «puede dar tanto o más miedo que la guerra».

Pero, para Villalobos, quien fuera el más importante jefe militar y principal negociador de su movimiento guerrillero (luego repudiado por muchos de sus excompañeros), no se trata de seguir dilatando el cierre del conflicto. Y explica: «Si las Farc perdieron su momento militar alargando la guerra, ahora están arriesgando su oportunidad política alargando la negociación». En su artículo, dice que no es el Gobierno el que debería tener prisa, sino las Farc; y asegura que si el FMLN no firma la paz en El Salvador en el momento en el que lo hizo, «hubiéramos perdido toda legitimidad». «El miedo al final» no puede convertirse, entonces, en indecisión permanente.

Las Farc no tardaron en venirse lanza en ristre contra Villalobos, a quien calificaron de renegado y traidor. En un boletín sin firma responsable en su portal (27/09), no responden a sus argumentos, pero lo sindican de «defensor de oficio del régimen terrorista colombiano» y «agente pago del imperialismo». Epítetos que no por manoseados y anacrónicos dejan de ser indicativos de una suprema agresividad defensiva.

En materia de excesos retóricos, los adversarios del proceso no se quedan atrás. Con motivo de la publicación de los preacuerdos, Álvaro Uribe expidió un comunicado (29/09) en el que afirma que esos textos son «una plataforma política del terrorismo para justificar sus crímenes» y demuestran «la claudicación del Gobierno frente al castro-chavismo». El posterior documento del Centro Democrático sobre las 68 «capitulaciones» de Santos confirmó la recalcitrante postura del uribismo frente a todo lo que sucede en La Habana.

Si de «desescalar el lenguaje» se trata, no sobraría evocar al gran poeta chileno Vicente Huidobro, cuando advertía que «adjetivo que no da vida mata». La violencia verbal y escrita está íntimamente asociada a la violencia política que azotó a Colombia en la primera mitad del siglo pasado; a la retórica incendiaria que salía de las gargantas de tribunos liberales y conservadores, de las páginas de los periódicos de ambos partidos y de los mismos púlpitos de una Iglesia católica que en esos años atizó con sus sermones la hoguera de pasiones que anegaron de sangre el campo colombiano.

Por eso, dentro del propósito de ambientar la paz, hay que convocar también a sus declarados enemigos. Escucharlos, invitarlos a debatir y a proponer alternativas. El politólogo Gustavo Duncan sostiene que mientras la favorabilidad de las Farc en las encuestas no llega al dos por ciento, el uribismo representa a la mitad del país, y que no se puede hacer la paz sin tenerlo en cuenta. Aunque el jefe supremo se muestra cerrado a la banda en este campo, buscar cómo atraer a sus sectores más equilibrados es, pues, otra tarea para desarrollar. Si la política es el arte de sumar fuerzas, la política de la paz debe reunir cada vez a más creyentes. Puede estarlo logrando, si se tiene en cuenta la propuesta del hasta ahora critico acérrimo del proceso, el procurador Alejandro Ordoñez, de suscribir «un pacto nacional por la paz que le dé sostenibilidad política y jurídica a los acuerdos con las Farc», y el respaldo que ésta recibió del Partido Conservador.

En su discurso de posesión del 7 de agosto, Juan Manuel Santos había aclarado que al proceso «le falta la fase más ardua y más exigente». Advertencia realista, que me parece más acertada para el momento que la promoción de infundadas expectativas de corto plazo. Debería ser la nota predominante en la prédica oficial: la paz viene, pero no está a la vuelta de la esquina. Vamos bien, pero hay mucho trayecto por delante.

⁂

Entre tanto continúan en Colombia atentados y emboscadas, mientras en La Habana prosiguen las conversaciones con todos sus tires y aflojes. Es fácil, en fin, desfallecer ante las dificultades presentes y el largo trecho que aún resta; perder el ánimo y pensar que esto no tiene fin a la vista.

Como también es difícil asimilar lo que entraña dialogar en medio del conflicto. Hablar, hablar, pero pelear, pelear. Seguir registrando muertes en combate y fuera de él, bombardeos a campamentos, voladuras de torres, oleoductos, carreteras, al mismo tiempo que se sigue negociando.

Así han sido y seguirán siendo los altibajos del proceso. La ruta hacia la paz no es autopista de doble calzada, sino montañosa trocha de despeñaderos. Falta recorrido con accidentes y trancones, pero ahí se va desbrozando el camino. En medio de la comprensión de unos y de la indignación de otros, del pesimismo moderado o del optimismo cauteloso. Todos, sentimientos válidos y explicables.

Sin embargo, recuerdo lo que me dijo al comienzo del proceso un observador extranjero que ama y conoce como pocos a este país: lloverán balas, explotarán ánimos y cundirán desalientos, pero no cejen en un empeño que vale todos los sinsabores y que los colombianos del futuro reconocerán para siempre.

Lo que no debemos perder, pues, es la esperanza de que al fin de la ruta se vislumbra ya una salida. Hay que poder dimensionar lo que significa para el país el fin del conflicto armado que hemos padecido estos cincuenta años. Estamos hartos de tanta sangre y tanto dolor y se ha avanzado demasiado como para botar la toalla.

Es hora ya de despertar de esta eterna pesadilla y de comenzar a imaginar, por más trabajo que nos cueste, una Colombia en paz.

Anexos

El Cano que yo conocí*

Me enteré hacia las nueve de la noche en un restaurante del barrio Soho, de Nueva York, por la súbita algarabía en español de una mesa vecina. «¡Lo mataron, no joda, mataron a "Cano"!», gritaban pegados a sus celulares dos jóvenes, obviamente colombianos.

Me acerqué sorprendido y escéptico (pensaba en las cien muertes de Tirofijo) y, mientras brindaban ruidosos, llamé a Bogotá. Confirmado: el CTI había practicado definitiva prueba dactilar.

La noticia me impactó y me puso a pensar –mucho– en las dos veces que estuve con «Alfonso Cano», el curio-

* Publicado en El Tiempo, 18 de diciembre de 2011

so nombre de guerra que adoptó Guillermo Sáenz Vargas cuando pasó de la Juventud Comunista a las Farc. Y el hecho de que un estudiante bogotano de Antropología (intenso pero festivo, según sus compañeros de la Nacional) haya terminado de sucesor de Tirofijo refleja la peculiar historia de una guerrilla esencialmente campesina en su composición, dogmáticamente estalinista en su formación y rígidamente jerárquica en su organización.

Cano fue en ese sentido víctima de su antigüedad. El mechudo intelectual de grandes gafas no llegó a la cúpula por tropero o estratega militar, sino porque hacía veintinueve años ya estaba en el monte y fue insertado desde entonces en el organigrama directivo del «Seckretariat» por su mentor, «Jacobo Arenas» (Luis Morantes), el comisario político que en los años sesenta les envió el Partido Comunista a las incipientes Farc, para impartirles a esos campesinos en armas una sólida orientación marxista-leninista.

Aunque todo guerrillero sabe que se juega la vida, no creo que Cano hubiera imaginado su final. Ni que le tocaría calzar las botas de Tirofijo en el peor momento de las Farc. Ni terminar como terminó: marginado y maltrecho, huyendo con desespero del implacable acoso militar. «Herido, ciego y solo», según palabras del arzobispo de Cali.

La segunda y última vez que lo vi, a mediados del 2000, en la zona de despeje del Caguán, Alfonso Cano era la personificación de la arrogancia triunfalista que en ese entonces proyectaban las Farc, cuando manejaban a su antojo un territorio más grande que Suiza, que les había cedido Pastrana, tras los duros reveses sufridos por el Ejército. Por las sabanas caguaneras desfilaban orondos ante las cámaras miles de guerrilleros en relucientes uniformes. Sus jefes recibían la romería de centenares de personajes nacionales y extranjeros, ansiosos de presentar sus improvisadas propuestas para la paz de Colombia. Las interminables sesiones eran transmitidas en directo por los canales oficiales a un país anhelante, pero cada vez más incrédulo.

«El Establecimiento es una torre de Babel», me dijo burlonamente Cano en aquella ocasión. Frase despectiva y no del todo desacertada. Era casi obsecuente la peregrinación de funcionarios, políticos, diplomáticos, empresarios, con sus respectivas fórmulas para salir del conflicto. Luego del desaire de Marulanda a Pastrana al inaugurarse los diálogos con la famosa «silla vacía», tenía algo de surreal y patético el espectáculo de Jojoy, Reyes y compañía, sentados, fusil en mesa, con sus inermes y atolondrados interlocutores.

Tres años duró el frustrado experimento y las Farc terminaron pagando caro su cinismo y prepotencia.

Primer encuentro

Quince años antes de ese último encuentro, conocí a Cano en Casa Verde, durante los diálogos de paz del gobierno de Betancur, cuando era una discreta figura que giraba en la órbita de Jacobo Arenas, la eminencia política de las Farc, un personaje locuaz y avasallante.

Apenas me bajé del helicóptero en ese paraje montañoso que luego sería bombardeado por el gobierno Gaviria, Arenas me echó el ojo y exclamó: «¡Santicos, tenemos que hablar!». En el último año y medio, me había enviado varias «cartas abiertas» a nombre del Secretariado, polemizando con mi columna «Contraescape». Nos encerramos largo rato en un cuartico de la gran empalizada donde se adelantaban los diálogos, y me contó que se había iniciado en política con las Juventudes Liberales de Santander y prestado servicio militar en el Guardia Presidencial durante el gobierno de Eduardo Santos. «Ese sí era un demócrata; no como su papá y su tío Hernando, que son unos fachos», me dijo en su habitual tono socarrón.

Grandilocuente y punzante, siempre con llamativas bufandas, gafas negras y cachucha de cuero, a Jacobo Arenas le fascinaban la política y la polémica. Se veía quizás en el Congreso, o arengando a las multitudes en la plaza de Bolívar, pero el ideólogo de las Farc ya estaba atrapado por la guerra, y en su vida, como en la de su movimiento, lo militar primó sobre lo político. Era tan vehemente como carretudo, y en las reuniones de Casa Verde, en desarrollo de los Acuerdos de La Uribe, condenó enérgicamente el secuestro como instrumento de lucha. Al igual que Manuel Marulanda, aunque las Farc nunca dejaron esta infame práctica.

El helicóptero no pudo despegar por mal tiempo y esa noche Jacobo, que sabía empinar el codo, invitó a un pequeño grupo a seguir la discusión al calor de unos tragos. Era el verdadero anfitrión de esos encuentros, el que echaba el discurso y trazaba la línea (más que Marulanda, que no era de francachelas ni locuacidades). Alfonso Cano fue el único del Secretariado que asistió y ahí fue donde lo pude conocer, cuando Jacobo lo dejaba hablar. Logramos dialogar durante un buen rato y se me grabó su inflexible vehemencia ideológica, condimentada con un sarcasmo parecido al de su mentor.

La figura omnipresente fue Arenas (cuya muerte, en 1990, dejó un vacío político en las Farc), y de aquella noche un tanto alicorada en ese remoto páramo guardo un recuerdo apenas difuso de Cano. Lo volví a ver mucho después, cuando me hizo saber que quería hablar conmigo en la zona de distensión del Caguán, pero al margen de los diálogos oficiales. Y allá llegué el 14 de junio del 2000, en vuelo de Satena con escala en Neiva, a San Vicente del Caguán, un pueblo bullicioso e hirviente donde no había duda de quién era la autoridad armada.

«Iván Ríos» (Manuel Jesús Muñoz), el de la mano cercenada, hombre del entorno íntimo de Cano, me recogió en su moderno jeep en una heladería en las afueras del pueblo y me internó cincuenta minutos monte adentro, al son de los ritmos revolucionarios de Radio Resistencia, la voz de las Farc en la región. En el trayecto, me di cuenta de que Ríos, un paisa universitario de treinta y pico de años, era un leninista puro y duro.

Llegamos cayendo el sol a un campamento rodeado de trincheras, el cambuche de Cano, y unos guerrilleros muy jóvenes me ofrecieron café mientras llegaba el «camarada», que estaba en la hora del baño. Cano apareció como a la media hora con el pelo mojado de agua de río y olor a jabón.

Segundo *round*

No había cambiado mucho en apariencia: barbudo, con su mirada desconfiada tras grandes gafas y siempre irónico. Me comentó que yo había perdido mucho pelo y que los dos libros que le llevé, *Adiós, muchachos,* de Sergio Ramírez, y *La fiesta del chivo,* de Vargas Llosa, eran de autores «reaccionarios».

Nos reunimos en su selvática biblioteca, donde no faltó el esencial estimulante etílico. Cano tomó coñac y yo whisky, y conversamos largas horas. Intensas, casi sin interrupción y sin acuerdos.

Yo le hablé de derechos humanos y de la iniquidad del secuestro, del clima de odio y derechización que habían generado, de la bandolerización y narcotización. Él insistió en el Plan Colombia y los gringos, la barbarie paramilitar, el canje y el papel «guerrerista» de los medios. Y, claro, en el exterminio de la Unión Patriótica, tema que pesa hondo en la conciencia (aunque no culpable) de las Farc.

Intransigente hasta la médula, no aceptó que la sociedad colombiana estaba hastiada de sus excesos y dispuesta a elegir a quien más los combatiera. Tampoco se mostró entusiasmado por los diálogos en curso, de los cuales parecía marginado. Pero por voluntad propia, como lo confirmó luego de su muerte su hermano, el concejal Roberto Sáenz, quien dijo que nunca creyó en ellos. Por eso, se recluyó en su cambuche y solo asistió a reuniones por órdenes directas de Marulanda.

En medio de la conversación, ya bajo un cielo estrellado, apareció entre la manigua un guerrillero curtido, menudo y atlético, «Pablo Catatumbo» (Jorge Torres Victoria), hombre de confianza de Cano, quien se sumó a la reunión y aportó comentarios siempre agudos.

Cano anunció que a las ocho comeríamos cerdo, yuca y papa en el cercano salón comunal de su campamento, donde había televisión satelital de impecable imagen. Comenté que a esa hora transmitían la gran pelea estelar de boxeo entre Óscar de la Hoya y Shane Mosley, y Catatumbo, quien había sido boxeador aficionado en el Valle del Cauca, propuso que la viéramos. Lo apoyé de inmediato. Cano aceptó a regañadientes, pero luego terminó entusiasmado con la pelea, apostándole al negro Mosley por encima del «niño lindo» De la Hoya («no sabe nada de boxeo», me susurró Catatumbo).

Regreso a la oficina y a más discusión, hasta que, bien entrada la noche, otro bienvenido receso: guitarra al hombro, llegó un compositor de célebres vallenatos de las Farc, «Cristian Pérez» (Luis Vanegas), un costeño afable y corpulento, médico de profesión, dirigente del «movimiento bolivariano» que impulsaba Cano, y quien durante la siguiente hora soltó un variado repertorio de sus canciones sobre luchas, muertes y amores. Me impactaron la carga sentimental y la ternura de una sobre las madres de los guerrilleros.

Asociar sentimentalismo y ternura con las Farc puede sonar incongruente, cuando no ofensivo, pero el hecho es que son tres generaciones de colombianos, esparcidas por toda la geografía nacional, enraizadas a su manera violenta con la historia del país, que han desarrollado un movimiento complejo y algo parecido a una cultura propia, con sus mitos y sus mártires. Me impresionó, en todo caso, el calor humano que irradió ese costeño talentoso, que en un momento dado se esfumó tan sigilosamente como había llegado. Años más tarde, me enteré de que Cristian Pérez había muerto en un combate en la cordillera Central.

La noche moría y la discusión seguía viva. Ante las reiteradas pullas a los medios, le propuse a Cano que escribiera una columna en El Tiempo con todas sus críticas. Me aseguró que nunca la publicarían, pero un mes después, la envió. Se publicó, y le mandé a decir que escribiera otras, porque a la opinión le interesaba saber de boca suya qué era lo que querían las Farc. Dijo que lo consultaría. No lo hizo, o no lo autorizaron, y fue lo último que supe de él.

Poco antes de despedirnos, me soltó una pregunta inesperada: si debía aceptar un debate con Carlos Castaño que le había propuesto RCN Televisión. Le dije que lo hiciera, si no quería que el jefe paramilitar que tanto lo obsesionaba acaparara los medios. Pero ya tenía su decisión tomada: «Yo no me rebajo a hablar con ese carnicero».

Comenzó a clarear y era hora de partir. Iván Ríos había quedado tumbado por el sueño y Catatumbo, el amante del boxeo, comentó que la charla había sido un verdadero «pugilato verbal». Cano me despidió con caldo de carne y un gesto que le agradecí: una Budweiser helada, que sacó de su nevera.

Un «maltrecho Frankenstein»

Me tocó regresar por tierra en carro expreso de San Vicente a Florencia para tomar el vuelo a Bogotá, y en las tres horas de carretera, pasando por esos pueblos caqueteños que han convivido con las Farc –Puerto Rico, Doncello, Paujil–, pensé en el personaje que acababa de dejar. Tan implacable y rígido, pero a la vez amable, humorístico y vital.

Un antiguo compañero suyo de la Juventud Comunista me lo definió en días pasados como una combinación de gocetas buen bebedor y mujeriego con sectario estalinista en lo político. Tal vez, prefirió que lo mataran a reconocer la derrota de una visión del mundo, del país y del ser humano. No sé, pero quizás era una persona incapaz de vivir en la incertidumbre del mundo actual. De vivir sin «religión».

Prefiero pensar que a Alfonso Cano le cabía la paz en la cabeza. Por su trayectoria y formación intelectual, tenía que entender que había llegado el momento de asumir la responsabilidad histórica de dejar las armas y fortalecer la democracia. De mirar alrededor y ver lo que ha sucedido en estos años en su país y en América Latina, en el Tíbet o en el País Vasco...

Pero no quiso, o no se atrevió a jugársela. Quizás porque tampoco pudo mandar sobre el «maltrecho Frankenstein» (frase de Américo Martín) que le correspondió liderar. En todo caso, nunca correspondió como se esperaba a los gestos de un gobierno que sí pensó que con él había la posibilidad de concretar una negociación política.

Habrá que ver qué sucede ahora con las Farc bajo el liderazgo del veterano Timochenko, quien ya ha hecho varios pronunciamientos de novedoso tono erudito y literario. Si el estilo es el hombre, podría resultar más propenso a una salida política que su antecesor.

Pero, más que un cambio de retórica, las Farc tienen que demostrarle al país con hechos que sí piensan asumir su responsabilidad histórica. Liberar a todos los secuestrados y reconocer que las armas no son al camino serían pasos contundentes.

Cuando lo hagan, se facilitará, seguramente, el marco constitucional que abra salidas legales para quienes quieren hacer política sin sangre en las manos. Mientras tanto, ver para creer. Y seguir en lo mismo.

Palabras de apertura*

Por cuestión de generosidad y de edad, más que de dignidad o gobierno, mis compañeros de delegación han solicitado que yo diga unas palabras iniciales en este encuentro exploratorio.

De nuestro equipo soy, en todo caso, el que más tiempo lleva en estos ajetreos. Desde 1982, en el gobierno Betancur, fui miembro de la Comisión de Dialogo con el M-19 y el Epl, y asistí a la primera reunión oficial con este ultimo grupo en el municipio cordobés de Pica Pica. Por ese tiempo, aunque

* Texto completo de la intervención que preparó ESC para la sesión inaugural del 24 de febrero de 2012. No fue leído en su momento dado un acuerdo en el equipo del Gobierno sobre la brevedad y espontaneidad que debía primar en esa reunión introductoria. Ver p. 45.

no como miembro de comisión alguna, también estuve en La Uribe, donde tuve largas conversaciones informales con Jacobo Arenas y Alfonso Cano.

Luego, fui testigo de la tensa firma de la tregua con el M-19 en Corinto, Cauca, y años después, de la consolidación del acuerdo con el Epl en Pueblo Nuevo, Antioquia.

En época de tregua con las Farc, en el 87, viaje a Remolinos del Caguan a la instalación de un Consejo de Rehabilitación, en una misión presidida por Iván Márquez por las Farc y Carlos Ossa y Rafael Pardo por el Gobierno Barco. Recuerdo que pernoctamos en el campamento del Frente Catorce que dirigía Jorge Briceño, con quien discutí al otro día sobre el fenómeno de los cultivos de coca y lo que él llamaba la "narcoproducción" que caracteriza a esa zona.

Durante esos años el Estado Mayor de las Farc, que creo era de cinco o seis miembros, y en ocasiones Jacobo Arenas individualmente, dirigieron varias «cartas abiertas» a la columna «Contraescape», que yo escribía en El Tiempo, y mantuvimos francas e interesantes polémicas publicas sobre los avatares que sufría el vapuleado proceso de paz.

También con el Eln tuve intercambio de cartas abiertas –sobre todo con Nicolás Rodríguez «Gabino» –a raíz del atentado de este grupo a un poliducto en Machaca que carbonizo a medio centenar de mineros pobres y sus familias.

Con Gabino y miembros del Comando Central del Eln me reuní posteriormente en la Serranía de San Lucas, a donde viajé, junto con un grupo de directores de medios, a solicitarle al Eln que dejara de secuestrar periodistas para transmitir sus comunicados. Accedieron, y esa practica cesó.

En la zona de despeje del Caguán estuve dos veces, aunque no como miembro de mesas o comisiones. Desde el desaire de las FARC a Pastrana, y de la «silla vacía» de Marulanda, dije que no le veía futuro a ese proceso. Pero fui invitado en una ocasión por Alfonso Cano a su cambuche cerca de San Vicente y en la otra por Joaquín Gómez a Los Pozos. Querían conversar y discutir conmigo y lo hicimos durante largas horas. A ambos les reitere que las Farc habían derechizado a los colombianos y que iban a elegir a Álvaro Uribe. No pareció importarles.

No quiero, en fin, fatigarlos con más recuentos personales de mis itinerarios a través de ese laberinto que ha sido la búsqueda de paz en Colombia, que ha dejado en el camino una enrevesada arquitectura de toda suerte de comisionados, comisiones y comités, de paz y de dialogo, de negociación, de conciliación o de verificación, de treguas y ceses al fuego…

He sido, pues, testigo directo de veintinueve años de este proceso. Que ha sido interminable. Pero que debe y tiene que terminar. Porque es mucha la sangre derramada, muchas las esperanzas frustradas y mucho lo que entretanto ha cambiado. Un sentido elemental del realismo nos exige entender el nuevo entorno en el que hoy nos movemos: internacional, regional y nacional.

Pareciera innecesario, por lo evidente, resaltar las profundas transformaciones que se han dado en los últimos diez años. Digamos, desde que se puso fin a los diálogos del Caguán.

Para comenzar, en el ámbito internacional. Particularmente en el terreno jurídico, con las facultades de la Corte Penal Internacional y la jurisprudencia cada vez más explicita sobre crímenes de lesa humanidad y los severos limites a las amnistías. Es este un tema terriblemente complejo y delicado, pero igualmente insoslayable, que podrá desarrollar con más detalles y conocimientos de causa el jefe de la delegación, Sergio Jaramillo.

Un entorno global radicalmente alterado, además, luego de los atentados del 11 de septiembre de 2001 en Estados Unidos y caracterizado por una manifiesta intolerancia a acciones que puedan asimilarse a terrorismo político.

En el plano nacional, hay que tener en cuenta, porque también es inocultable, un clima de opinión beligerantemente adverso a cualquier repetición de experiencias como las del Caguán. Más aún, diría yo, a la posibilidad misma de que el gobierno colombiano dialogue una vez más con la guerrilla. Preocupante, porque un Estado no puede renunciar a buscar la reconciliación nacional. Pero muy real.

No es este un estado de ánimo artificial, producto de manipulaciones mediáticas. Creer esto es auto engañarse. Me hace pensar en las multitudinarias manifestaciones callejeras de aquel 4 de febrero de 2008, las más grandes en la historia del país. Contra la violencia, el secuestro y –¿cómo desconocerlo?– las propias Farc. Minimizar que millones de personas salgan al mismo tiempo a la calle a gritar las mismas consignas; verlo como simples manipulaciones de arriba, es considerar a esos ciudadanos como despreciables títeres.

La hostilidad a un acercamiento guerrilla-gobierno es un sentimiento real. Presente además en todas las encuestas y sondeos. Y, muy palpablemente, en las posiciones publicas de los sectores políticos que alimentan este sentimiento, y quisieran bloquear desde ya todo camino de diálogo.

Basta leer los escritos de un interprete de estas posturas, José Obdulio Gaviria, quien hace poco le reprochó al presidente Santos que este «no podía aspirar a nueve millones de votos, pero desentenderse de la guerra frontal contra los terroristas»; que «era impensable que abandonara el lenguaje de la confrontación con el "enemigo social y armado" para poder ganar la adulación de los apaciguacionistas».

Así son las cosas. Y Juan Manuel Santos se juega una carta arriesgada y peligrosa. Conozco a mi hermano. Es audaz y toma riesgos. El que nos ocupa es grande y puede tener imprevisible costo político para él. Mayor en todo caso que para ustedes.

Pero está dispuesto a asumirlo –por algo estamos aquí– y tiene el mandato y capital políticos para hacerlo.

En la medida, eso sí, en que encuentre disposición. Y en esta reunión se trata de que averigüemos si se puede, o no, vislumbrar una salida al conflicto armado. Para utilizar una expresión hasta hace poco proscrita del lenguaje oficial. Y aunque este gobierno bien puede durar ocho años, no va durar mucho tiempo esperando a ver si hay disposición. Por eso hay que aprovechar la excepcional coyuntura en la que estamos.

Es mi visión, y la del Gobierno, de que hay una singular ventana de oportunidad, que pude ser la última.

Voy a ser totalmente franco con ustedes. No me imagine esto. No lo vi venir. Mi sorpresa es doble porque, como deben saber, nunca me identifique políticamente con mi hermano Juan Manuel. Incluso tuvimos no pocas contradicciones y fricciones.

Pero ¿como no reconocer realidades tan de a bulto? El viraje en la política exterior, el destete con posturas del uribismo, la búsqueda de un nuevo marco político, la actitud autocritica como Estado frente a abusos del pasado, la voluntad de corregir injusticas históricas...

Hay realidades que no puedo desconocer. Y por algo estoy aquí, plenamente identificado con el propósito de dialogo del Gobierno, a pesar del escepticismo creciente que sobre la vida y la condición humana me acompaña en la tercera edad.

Pero sería muy inconsecuente con lo que he pretendido ser –un critico de la opresión y la injusticia– si ahora me cruzara de brazos. Ante lo que veo como una circunstancia excepcional, que podría precipitar reales cambios estructurales nuestro país.

Coyuntura que demandará esfuerzos mancomunados y alianzas posiblemente insólitas para traducirla en hechos irreversibles. Si Alfonso Cano estuviera aquí se burlaría, diciendo que estoy haciendo «santismo-leninismo».

Pero, retomando el hilo, más allá de los factores adversos antes mencionados, el contexto regional es favorable: Venezuela, Brasil, Bolivia, Ecuador, Perú...

Y en el plano nacional, como decía, ha surgido un nuevo ambiente político y se han tomado iniciativas trascendentales, que sería absurdo desconocer. Las leyes de reparación de víctimas y restitución de tierras, por ejemplo, con todas sus implicaciones políticas y sociales, que van a la matriz del conflicto colombiano. Esta iniciativa ha generado profundas resistencias, que aun no han salido a flote plenamente, y el gobierno requerirá de sólidos apoyos políticos y sociales para neutralizarlas. Y para garantizar una aplicación eficaz de estas leyes.

En las zonas mismas, donde ha de operar la restitución de tierras, el Estado tendrá que jugarse a fondo, con la ley y con la armas, para impedir que el campesinado sufra un nuevo despojo.

Por otra parte, la ley ha despertado un gran entusiasmo nacional y creo podemos estar doblando una dolorosa página de nuestra historia. Y podríamos hacerlo con o sin ustedes.

Sería mejor con ustedes. La esencia de su lucha ha estado conectada al problema agrario, a la proclamada defensa del campesinado sin tierra. ¿Por qué no entender la relación entre lo que las Farc han planteado y lo que está sucediendo?

A todos nos duele la inequidad y la injusticia; el despojo y la violencia. Es la inmensa mayoría de colombianos la que quiere superar este estado de cosas. No solamente ustedes y nosotros, aunque es importante ver las conexiones posibles entre la agenda de las Farc y la del Gobierno. Todo esto es importante captarlo, aquí y ahora.

También en el frente internacional la coyuntura es crucial. En lo político, lo que ocurre en el contexto regional confirma cada vez más la validez para la izquierda de lucha política legal y electoral.

En Europa, donde estuve a fines de junio, me impactó el juicio que se adelantaba en la Audiencia Nacional de Madrid contra el exdirigente de la Eta, Arnaldo Otegi, procesado tras el atentado de Barajas, que supuso la ruptura de tregua y conversaciones entre Eta y el Gobierno español.

Otegi, máximo dirigente sindical de la izquierda vasca y exportavoz de Batasuna, sostuvo que precisamente a raíz de ese atentado había roto con Eta e insistido en la necesidad de poner fin a la violencia y la lucha armada.

En su juicio hizo planteamientos que quiero citar aquí:

* Una bomba nos destroza la estrategia diseñada y nos deja sin credibilidad por varias generaciones.

* Romper con la violencia era necesario para ampliar la base electoral del voto nacionalista. No necesitamos aparato militar y no es posible una acumulación de fuerzas suficientes para alcanzar nuestros objetivos si se mantiene la lucha armada. No porque sea un capricho nuestro, sino porque la fuerzas sociales y políticas que tienen que sumase al proyecto dicen que NO.

* Los sectores que no tienen argumentos políticos necesitan desesperadamente que la violencia se haga presente. Nosotros que sí tenemos argumentos necesitamos que desaparezca irreversiblemente de nuestro país. Seguir con la lucha armada es un suicidio político.

Esto lo planteó hace unas semanas uno de los más destacados líderes de la izquierda radical vasca, quien sostuvo que el cambio de estrategia no significa que hayan renunciado a sus objetivos: el de «un Estado vasco en Europa, construido desde la izquierda, con gran apoyo social y que se imponga a la oligarquía de los mercados».

Hay otros muy significativos hechos recientes, referidos en este caso a la justicia internacional, que me parece pertinente mencionar. Para comenzar, la determinación y rapidez con las que está actuando la Corte Penal Internacional, bajo la conducción del fiscal Luis Moreno Ocampo.

El último ejemplo es la orden de detención, el pasado 27 de junio, al coronel Gadaffi por las matanzas de civiles. Hubo sorpresa general con la velocidad de esta decisión, avalada por el propio Consejo de Seguridad de Naciones Unidas. Según varios analistas, se acabó la pasividad burocrática y la connivencia que había acompañado a la CPI, que ahora parece dispuesta a administrar justicia internacional con mayúsculas.

A propósito de este hecho, el juez Baltasar Garzón sostuvo que hoy en día solo la extrema derecha, que banaliza el problema de los derechos humanos y esgrime siempre razones nacionalistas o diplomáticas, se opone a la aplicación de la justicia internacional. Son decisiones de alcance universal, insiste Garzón, que conducirán indefectiblemente a la detención y enjuiciamiento de los responsables.

No es muy claro cómo estas normas y jurisdicciones aplicarían en un caso tan singularmente complejo como el colombiano, pero es importante reconocer cual es la tendencia en el mundo.

Por lo pronto, vale la pena ver el ejemplo de lo sucedido en el contexto de la antigua Yugoeslavia, con la detención y condena de gobernantes y generales serbios. Caso muy diciente ha sido la captura y extradición a La Haya en mayo del general serbio Ratko Mladic, que enfrenta un juicio por crímenes de lesa humanidad. Al mismo tiempo, algo también diciente, que el presidente serbio Boris Tadiç, pida disculpas en nombre de su nación por las masacres perpetradas por tropas serbias en Croacia y Bosnia. Y en los mismos días, aún más diciente, en que Holanda ha sido declarada culpable ante los tribunales internacionales de la muerte de familias bosnias musulmanes a manos de los serbios. Esto, debido a la inacción de los cascos azules de ese país, integrantes de las fuerzas de la ONU, que no utilizaron sus armas para impedir una masacre inminente. Holanda, como país, debe indemnizar a las familias bosnias que dejó fusilar impunemente.

Todo lo que aún sucede en esa región del mundo es parte de un complejo proceso global de autocrítica, reconciliación y reparación. Y estoy de acuerdo en este sentido, con lo que planteó Alfonso Cano a comienzos de año, de que el Estado colombiano debe reconocer su responsabilidad histórica en la violencia política que ha sufrido nuestro país. Y ha comenzado a hacerlo, como se vio en días pasados en El Salado.

También pienso que las Farc deben reconocer su cuota de responsabilidad. Y, todos, pedir perdón a la víctimas.

Once años después de haber entablado demanda contra los soldados holandeses, el joven bosnio que era su traductor oficial y presenció la muerte de su madre, dijo lo siguiente tras conocerse el veredicto: «creo que la justicia debería componer un paquete en el que cupiera el castigo del culpable, la compensación de las víctimas, el reconocimiento público de lo sucedido y la aceptación del sufrimiento».

Pero suficientes referencias externas. Tenemos que aprovechar estos dos días para hablar entre nosotros de lo nuestro. Claramente, sin rencores ni prejuicios, y averiguar si estamos de acuerdo en que existe una excepcional ventana de oportunidad. Y si podemos, conjuntamente, construir un marco para el diálogo, con procedimientos y reglas del juego mutuamente acordadas.

Estamos aquí para eso. Para compartir con ustedes la visión de esta ventana y saber cómo la ven. El Gobierno no esta aquí por debilidad o necesidad. Tampoco para exigirles ni pedirles nada, sino porque nos importa como colombianos que dejemos de matarnos y logremos una «salida civilizada al conflicto social-armado», para hablar en los términos del reciente comunicado de las Farc.

Estamos aquí por el interés de saber si ustedes creen que existe esta oportunidad y si podríamos avanzar hacia conversaciones distintas de las del pasado. Mirar hacia el futuro, a ver si hay un terreno común.

No tiene sentido, en todo caso, volver sobre viejas recriminaciones mutuas. Pero tampoco iniciar diálogos sobre las mismas bases del pasado. Repetir experiencias o procesos como los vividos durante las administraciones Betancur, Barco, Gaviria, Samper o Pastrana, no parece una opción. Sería como si nada hubiera cambiado y no aprendiéramos las lecciones de la historia.

Ahora bien, tradicionalmente las Farc han concebido los diálogos con el Estado como otra forma de lucha, como una oportunidad para oxigenarse políticamente mientras se fortalecen militarmente. Podemos presumir que siguen en lo mismo, porque no hay indicios de lo contrario. Pero la esperanza que hoy nos anima es la de que aquí logremos vislumbrar algo diferente.

Si es así, no debemos perder el tiempo. Porque, insisto, la situación jurídica internacional apremia y la política interna nos exige, a ambos, decisiones audaces y oportunas. Hablemos entonces de cómo vemos, ustedes y nosotros, las oportunidades y dificultades. Si debe el Presidente, en el caso nuestro, gastar su capital político en este empeño, por ejemplo. Y si hay coincidencias, acordar cuales podrían ser el calendario y los procedimientos para llegar a ese eventual marco de negociación. Identificando si acaso temas estructurales de fondo, pero entendiendo que este no es el momento de abordarlos en detalle.

Ustedes tienen una historia de lucha que forma parte de la historia de Colombia. Para bien o para mal. Lo innegable son sus casi cincuenta años de existencia y las bases sociales que han logrado allí donde el Estado ha brillado por su ausencia. Pero tampoco se puede desconocer todo lo que el Estado colombiano ha evolucionado, ni el hecho de que este gobierno tiene el propósito de hacer presencia en todos los rincones del territorio nacional.

Hoy, repito, hay más de una conexión entre lo que ha sido la agenda histórica de las Farc y lo que este gobierno quiere llevar a cabo. Pero más que las agendas de uno u otro, es la del país la que cuenta. La de no más despojo, no más corrupción, no más copamiento del Estado por narcos y paras.

Las Farc han desaprovechado oportunidades históricas para avanzar su agenda, como la que ofreció la Asamblea Nacional Constituyente de 1991 y, diez años después, el despeje del Caguán. Entre tanto se consolidaron fenómenos como el paramilitarismo y sobre todo el narcotráfico, que todo lo degradó y contaminó, haciendo difíciles las salidas negociadas al conflicto armado.

Que no los deje otra vez el tren de la Historia. Más tarde será más difícil. Cada vez más difícil.

Miremos alrededor. Cómo no ver que el escenario es el de la lucha política abierta y de cara a pueblo. Cuando hay las garantías y el pueblo puede expresarse libremente en las urnas, pues ahí vemos los resultados. Basta ojear al vecindario y ver a exguerrilleros en el poder. En Brasil, El Salvador, Nicaragua, Uruguay. En Colombia, en el Senado o en la alcaldía de la capital. El estigma no es haber empuñado las armas. Es no saber deponerlas.

Estamos aquí, en fin, para averiguar si hay posibilidad de llegar a esa «salida civilizada» al conflicto armado que ustedes mencionan en su comunicado del 27 de mayo. Queremos creer que sí. Y estamos seguros de que el momento es ahora.

No lo dejemos pasar. La futura generación de colombianos no nos lo perdonarían.

Acuerdo General de La Habana

Acuerdo General para la terminación del conflicto y la construcción de una paz estable y duradera

Los delegados del Gobierno de la República de Colombia (Gobierno Nacional) y de las Fuerzas Armadas Revolucionarias de Colombia-Ejercito del Pueblo (FARC-EP);

Como resultado del Encuentro Exploratorio que tuvo como sede La Habana, Cuba, entre febrero 23 y agosto 26 de 2012, que contó con la participación del Gobierno de la República de Cuba y del Gobierno de Noruega como garantes, y con el apoyo del Gobierno de la República Bolivariana de Venezuela como facilitador de logística y acompañante;

Con la decisión mutua de poner fin al conflicto como condición esencial para la construcción de la paz estable y duradera;

Atendiendo el clamor de la población por la paz, y reconociendo que:

La construcción de la paz es asunto de la sociedad en su conjunto que requiere de la participación de todos, sin distinción, incluidas otras organizaciones guerrilleras a las que invitamos a unirse a este propósito;

El respeto de los derechos humanos en todos los confines del territorio nacional, es un fin del Estado que debe promoverse;

El desarrollo económico con justicia social y en armonía con el medio ambiente, es garantía de paz y progreso;

El desarrollo social con equidad y bienestar, incluyendo las grandes mayorías, permite crecer como país;

Una Colombia en paz jugará un papel activo y soberano en la paz y el desarrollo regional y mundial;

Es importante ampliar la democracia como condición para lograr bases sólidas de la paz;

Con la disposición total del Gobierno Nacional y de las FARC-EP de llegar a un acuerdo, y la invitación a toda la sociedad colombiana, así como a los organismos de integración regional y a la comunidad internacional, a acompañar este proceso;

Hemos acordado:

I. Iniciar conversaciones directas e ininterrumpidas sobre los puntos de la Agenda aquí establecida, con el fin de alcanzar un Acuerdo Final para la terminación del conflicto que contribuya a la construcción de la paz estable y duradera.

II. Establecer una Mesa de Conversaciones que se instalará públicamente en Oslo, Noruega, dentro de los primeros 15 días del mes de octubre de

1

Edición facsimilar del acuerdo firmado entre los delegados del Gobierno y los de las Farc-Ep. Tomado de https://www.mesadeconversaciones.com.co/sites/default/files/AcuerdoGeneralTerminacionConflicto.pdf

2012, y cuya sede principal será La Habana, Cuba. La Mesa podrá hacer reuniones en otros países.

III. Garantizar la efectividad del proceso y concluir el trabajo sobre los puntos de la Agenda de manera expedita y en el menor tiempo posible, para cumplir con las expectativas de la sociedad sobre un pronto acuerdo. En todo caso, la duración estará sujeta a evaluaciones periódicas de los avances.

IV. Desarrollar las conversaciones con el apoyo de los gobiernos de Cuba y Noruega como garantes, y los gobiernos de Venezuela y Chile como acompañantes. De acuerdo con las necesidades del proceso, se podrá de común acuerdo invitar a otros.

V. La siguiente Agenda:

1. Política de desarrollo agrario integral

El desarrollo agrario integral es determinante para impulsar la integración de las regiones y el desarrollo social y económico equitativo del país.

1. Acceso y uso de la tierra. Tierras improductivas. Formalización de la propiedad. Frontera agrícola y protección de zonas de reserva.
2. Programas de desarrollo con enfoque territorial.
3. Infraestructura y adecuación de tierras.
4. Desarrollo social: Salud, educación, vivienda, erradicación de la pobreza.
5. Estímulo a la producción agropecuaria y a la economía solidaria y cooperativa. Asistencia técnica. Subsidios. Crédito. Generación de ingresos. Mercadeo. Formalización laboral.
6. Sistema de seguridad alimentaria.

2. Participación política

1. Derechos y garantías para el ejercicio de la oposición política en general, y en particular para los nuevos movimientos que surjan luego de la firma del Acuerdo Final. Acceso a medios de comunicación.
2. Mecanismos democráticos de participación ciudadana, incluidos los de participación directa, en los diferentes niveles y diversos temas.
3. Medidas efectivas para promover mayor participación en la política nacional, regional y local de todos los sectores, incluyendo la población más vulnerable, en igualdad de condiciones y con garantías de seguridad.

2

3. Fin del conflicto

Proceso integral y simultáneo que implica:

1. Cese al fuego y de hostilidades bilateral y definitivo.
2. Dejación de las armas. Reincorporación de las FARC-EP a la vida civil – en lo económico, lo social y lo político –, de acuerdo con sus intereses.
3. El Gobierno Nacional coordinará la revisión de la situación de las personas privadas de la libertad, procesadas o condenadas, por pertenecer o colaborar con las FARC-EP.
4. En forma paralela el Gobierno Nacional intensificará el combate para acabar con las organizaciones criminales y sus redes de apoyo, incluyendo la lucha contra la corrupción y la impunidad, en particular contra cualquier organización responsable de homicidios y masacres o que atente contra defensores de derechos humanos, movimientos sociales o movimientos políticos.
5. El Gobierno Nacional revisará y hará las reformas y los ajustes institucionales necesarios para hacer frente a los retos de la construcción de la paz.
6. Garantías de seguridad.
7. En el marco de lo establecido en el Punto 5 (Víctimas) de este acuerdo se esclarecerá, entre otros, el fenómeno del paramilitarismo.

La firma del Acuerdo Final inicia este proceso, el cual debe desarrollarse en un tiempo prudencial acordado por las partes.

4. Solución al problema de las drogas ilícitas

1. Programas de sustitución de cultivos de uso ilícito. Planes integrales de desarrollo con participación de las comunidades en el diseño, ejecución y evaluación de los programas de sustitución y recuperación ambiental de las áreas afectadas por dichos cultivos.
2. Programas de prevención del consumo y salud pública.
3. Solución del fenómeno de producción y comercialización de narcóticos.

5. Víctimas

Resarcir a las víctimas está en el centro del acuerdo Gobierno Nacional - FARC-EP. En ese sentido se tratarán:

1. Derechos humanos de las víctimas.
2. Verdad.

3

6. Implementación, verificación y refrendación

La firma del Acuerdo Final da inicio a la implementación de todos los puntos acordados.

1. Mecanismos de implementación y verificación.
   a. Sistema de implementación, dándole especial importancia a las regiones.
   b. Comisiones de seguimiento y verificación.
   c. Mecanismos de resolución de diferencias.

Estos mecanismos tendrán capacidad y poder de ejecución y estarán conformados por representantes de las partes y de la sociedad según el caso.

2. Acompañamiento internacional.
3. Cronograma.
4. Presupuesto.
5. Herramientas de difusión y comunicación.
6. Mecanismo de refrendación de los acuerdos.

VI. Las siguientes reglas de funcionamiento:

1. En las sesiones de la Mesa participarán hasta 10 personas por delegación, de los cuales hasta 5 serán plenipotenciarios quienes llevarán la vocería respectiva. Cada delegación estará compuesta hasta por 30 representantes.
2. Con el fin de contribuir al desarrollo del proceso se podrán realizar consultas a expertos sobre los temas de la Agenda, una vez surtido el trámite correspondiente.
3. Para garantizar la transparencia del proceso, la Mesa elaborará informes periódicos.
4. Se establecerá un mecanismo para dar a conocer conjuntamente los avances de la Mesa. Las discusiones de la Mesa no se harán públicas.
5. Se implementará una estrategia de difusión eficaz.
6. Para garantizar la más amplia participación posible, se establecerá un mecanismo de recepción de propuestas sobre los puntos de la agenda de ciudadanos y organizaciones, por medios físicos o electrónicos. De común acuerdo y en un tiempo determinado, la Mesa podrá hacer consultas directas y recibir propuestas sobre dichos puntos, o delegar en un tercero la organización de espacios de participación.
7. El Gobierno Nacional garantizará los recursos necesarios para el funcionamiento de la Mesa, que serán administrados de manera eficaz y transparente.

8. La Mesa contará con la tecnología necesaria para adelantar el proceso.
9. Las conversaciones iniciarán con el punto Política de desarrollo agrario integral y se seguirá con el orden que la Mesa acuerde.
10. Las conversaciones se darán bajo el principio que nada está acordado hasta que todo esté acordado.

Firmado a los 26 días del mes de agosto de 2012, en La Habana, Cuba.

Por el Gobierno de la República de Colombia:

Sergio Jaramillo	**Frank Pearl**
Plenipotenciario	Plenipotenciario

Por las Fuerzas Armadas Revolucionarias de Colombia –Ejercito del Pueblo:

Mauricio Jaramillo	**Ricardo Téllez**	**Andrés París**
Plenipotenciario	Plenipotenciario	Plenipotenciario
Marco León Calarcá	**Hermes Aguilar**	**Sandra Ramírez**

Testigos:

Por el Gobierno de la República de Cuba:

Carlos Fernández de Cossío	**Abel García**

Por el Gobierno de Noruega:

Dag Halvor Nylander	**Vegar S. Brynildsen**

5

Por el Gobierno de la República de Colombia:

Enrique Santos C. **Álvaro Alejandro Eder** **Jaime F. Avendaño**

Lucía Jaramillo Ayerbe **Elena Ambrosi**

6

Otros libros de Intermedio Editores

Gabo

La nostalgia de las almendras amargas

17 x 24 cm, 240 páginas.

ISBN: 978-958-757-406-7

Este libro puede leerse de diversas formas: como un tesoro que revela unas joyas conocidas pero perdidas, como el testimonio de un autor querido y admirado, o como un manual para escritores –tanto periodistas como literatos, nóveles o expertos– lleno de anécdotas, consejos y confidencias. Es, en realidad, una serie de textos de Gabriel García Márquez publicados en la revista *Cambio* entre 1999 y 2002 que incluye varios de sus más admirados perfiles, uno que otro reportaje, algunas entrevistas que le hicieran pero, sobre todo, las respuestas que diera a sus lectores sobre sus libros, sus personajes, es decir, sobre el trabajo íntimo del escritor más importante en lengua castellana de los tiempos modernos.

El Tiempo Casa Editorial e Intermedio Editores rinden, con esta publicación, un sencillo homenaje a nuestro premio Nobel, tras cien días de su desaparición, con el propósito de aportar un grano de arena al mejor conocimiento de su obra y, sobre todo, con el fin de rescatar su voz más íntima. En palabras de Juan Esteban Constaín, autor del prólogo y de la selección de estos textos:

"Este libro es un homenaje al talento del colombiano más grande de todos los tiempos: el que mejor supo desentrañar, con sus libros y sus palabras y sus intuiciones, el misterio de lo que somos. Pero es también un homenaje a sus lectores, para que renueven con él, aunque sea un poco, la nostalgia de las almendras amargas y el olor de la guayaba. El milagro de un estilo que morirá con el mundo, no antes ni después".

Las batallas de Jineth Bedoya

15 x 23 cm, 256 páginas.
ISBN: 978-958-757-436-4

El conflicto interno colombiano ha dejado millones de víctimas, entre muertos, desplazados, secuestrados, desaparecidos y mujeres violentadas, así como profundas heridas que no han permitido superar este capítulo de la historia del país. El fin de esta situación de violencia y la reparación de sus profundos daños no depende, sin embargo, exclusivamente del gobierno y los actores de la guerra, sino que es un compromiso de toda la sociedad y, en este sentido, el papel de los periodistas es fundamental.

Jineth Bedoya Lima es periodista y conferencista internacional. Lleva más de diecisiete años cubriendo el conflicto armado colombiano en radio, prensa y televisión, y actualmente se desempeña como subeditora del periódico *El Tiempo*. En 2009, tras nueve años de haber sido secuestrada, decidió hacer público su caso y creó la campaña No es Hora de Callar, con la que ha logrado ayudar a mujeres víctimas de abusos, como ella. Su trabajo le ha merecido varios reconocimientos en Colombia y a nivel internacional, entre ellos el Premio Mundial a la Mujer de Coraje 2012. Además, recientemente fue incluida entre los cien periodistas que cubren guerras y violencia, más influyentes del mundo. Por otro lado, el 23 de octubre de 2014, el Gobierno declaró el 25 de mayo como el Día Nacional por la Dignidad de las Mujeres Víctimas de Violencia Sexual.

Veinte años de guerra contra el narcotráfico

Jineth Bedoya

Blanco neutralizado

15 x 23 cm, 344 páginas.

ISBN: 978-958-757-266-7

El 2 de diciembre de 2013 se cumplen veinte años de la caída de Pablo Escobar, uno de los más importantes y sin duda el más representativo de todos los "capos" del tráfico de estupefacientes. Esa fecha marcó un punto de quiebre en la lucha contra ese flagelo que, aún tanto tiempo después, sigue vivo y ha sufrido múltiples transformaciones. Más de 46 millones de personas hoy siguen marcadas directa o indirectamente por este fenómeno criminal que, como un cáncer, hizo metástasis en cada rincón del país con unos costos, entre otros, de cerca de 10 mil víctimas, más de 10 mil millones de dólares empleados en su erradicación y una estigmatización para el país a nivel mundial que ha sido difícil de anular.

El narcotráfico creó prototipos de vida, permeó a las guerrillas, alimentó a los paramilitares, engendró un modelo sicarial de "exportación", implantó en la mente de las nuevas generaciones la consigna del "dinero fácil", cambió los cuerpos de las mujeres, corrompió a la política, alienó a los más dignos integrantes de la Fuerza Pública y se convirtió en el vital combustible del conflicto armado colombiano. Sin embargo, gran parte de la pesadilla se ha superado y hoy existen nuevos desafíos. El delito se transformó y el micro-tráfico y el consumo interno son los retos en los que está concentrada la Inteligencia de la Policía, que en la última década gestó los grandes golpes contra las redes mafiosas, logró centenares de "blancos neutralizados", los más importantes narrados en estas páginas.

Selección de
Juan Esteban Constaín

Crónicas El Tiempo

17 x 24 cm, 264 páginas.
ISBN: 978-958-757-268-1

"El propósito de esta antología es recoger algunos de los mejores textos publicados en el periódico EL TIEMPO durante el año 2013. Esta vez son crónicas y perfiles, relatos que por su calidad merecieron ser publicados, pero que también merecen ahora ser recordados, releídos: perdurar más allá del día, gracias otra vez al papel, a las palabras que quedan en un papel. La idea es que quienes los leyeron en su momento renueven el placer de haberlo hecho, y quienes no lo hicieron puedan asomarse a muchas historias memorables que dan fe de lo que pasó en el mundo y en Colombia en estos meses, con autores que hablan de la ciencia o del fútbol, del pasado o del futuro, del conflicto o de la paz, del arte o del campo, o de vidas heroicas o trágicas o cómicas que también son una posibilidad para entender lo que somos, cómo somos. Aquí y allá.

Se quedaron por fuera muchas piezas maravillosas, muchísimas, pero ese es el castigo de toda selección: o se hace o no se hace, y no siempre nos cabe en ella lo que querríamos, lo que nos gustaría que entrara sin límites ni restricciones. Todas las antologías deberían ser infinitas, y sin embargo no lo son. Por eso existen.

Aquí está un testimonio del paso del tiempo. Un libro de papel —sí— que recoge para su disfrute y lectura, para ir y volver y recordar, algo de lo mejor de El Tiempo en el 2013. Feliz año."

Juan Esteban Constaín

Salud Hernández-Mora

Viajes a la Colombia profunda

15 x 23 cm, 264 páginas.

ISBN: 978-958-757-432-6

Viajes a la Colombia profunda es una recopilación de crónicas de Salud Hernández-Mora. Escritas en un lenguaje controversial y sin embargo muy diferente al de sus columnas de opinión, estas crónicas son producto de los viajes realizados por la periodista, a partir de 2008.

Las historias contadas en este libro hablan, entre otros temas, de la realidad de Aracataca, más allá de ser la cuna de Gabriel García Márquez, con sus problemas de salubridad por falta de agua potable; de la violencia infantil y el maltrato, que se ha vuelto imperceptible por la fuerza de la inercia... Estos escritos, más allá de contar una historia, son un llamado a la conciencia social.

Sobre la autora...

Nací en Madrid, España, hace muchos años. Estudié Periodismo y lo ejercí a los dos lados de la barrera, como reportera y como asesora de comunicaciones. Aterricé en Colombia un martes de febrero de 1998. Empecé a trabajar para *El Mundo* de España en enero del 99, el mismo año en que comencé una columna de opinión en *El Tiempo*. Soy miembro de la Fundación País Libre desde hace tres lustros. En 2002 adquirí la nacionalidad colombiana, que comparto con la española.

Lo que no se ha contado
sobre la infiltración
del narcotráfico
en el exclusivo mundo
del paso fino colombiano.

Martha Soto

Los caballos de la cocaína

15 x 23 cm, 240 páginas.

ISBN: 978-958-757-374-9

Los caballos de la cocaína es el resultado de una seria y exhaustiva investigación periodística mediante la cual su autora, Martha Soto, descubre y documenta los hechos que rodearon la funesta incursión de la mafia en el mundo de los caballistas. Sus revelaciones recuerdan sangrientos hechos de retaliaciones, disputas por el poder e intimidación de la mafia, dan fe de la lucha y acciones de las autoridades para ponerle fin a este flagelo y cuentan increíbles historias sobre la obsesión de algunos de lo más sanguinarios capos por sus caballos.

Martha Elvira Soto Franco

Lleva diecinueve años en la Unidad Investigativa de *El Tiempo*, de la cual es directora desde 1998, y es experta en temas de narcotráfico, paramilitarismo, tierras y corrupción. Además de periodista, es magíster en Ciencias Políticas y Relaciones Internacionales y conferencista de fundaciones como el Centro Carter, la Sip y el Ipys, en temas de acceso a la información y cobertura periodística del narcotráfico y el lavado de activos. Ha sido catedrática en tres universidades y es analista de los canales City TV y ET, de El Tiempo Casa Editorial. Se ha ganado más de una docena de premios de periodismo investigativo y económico, es coautora de dos libros sobre paramilitarismo y Farc, y autora de *La Viuda Negra* (2013), una investigación periodística sobre la vida de la narcotraficante colombiana Griselda Blanco, que publicó con Intermedio Editores.

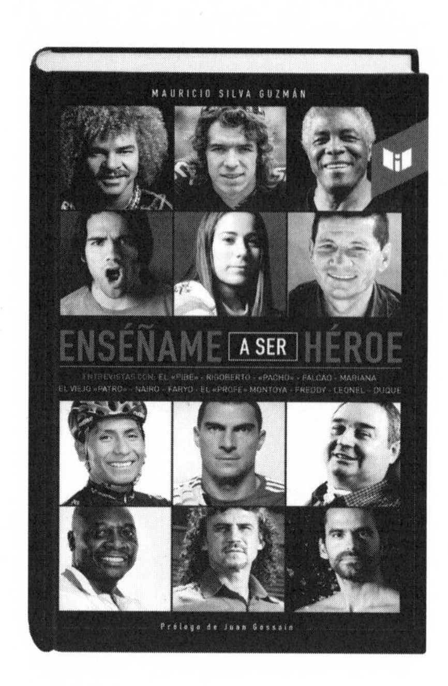

Entrevistas con: el «Pibe», Rigoberto, «Pacho», Falcao, Mariana, el viejo «Patro», Nairo, Faryd, el «Profe» Montoya, Freddy, Leonel, Duque.

Mauricio Silva Guzmán

Prólogo de Juan Gossaín

Enséñame a ser héroe

15 x 23 cm, 232 páginas.

ISBN: 978-958-757-365-7

Las entrevistas de Mauricio Silva Guzmán a doce admirados y, en muchos casos, venerados personajes del mundo del deporte, además de ofrecernos un acabado perfil humano y psicológico de cada uno de ellos, recrean momentos decisivos de la vida colombiana en las dos últimas décadas, durante las cuales el deporte, para bien y para mal, se mantuvo muy cerca del acontecer histórico nacional. La manera ágil y sin embargo profunda, minuciosa y al mismo tiempo amena con que este apasionado tejedor de historias encara y conduce las entrevistas, ha dado como resultado una antológica galería humana. Mientras los entrevistados nos revelan de qué manera unos hombres y mujeres hechos de la más común materia humana –sangre, huesos, nervios, músculos, sudor, lágrimas– pero dotados de una indomable fuerza interior y una voluntad de hierro se transforman en héroes, Silva Guzmán deja constancia de su pericia para hurgar en la mente y el corazón de sus personajes.

El mayor mérito de este aún joven veterano del oficio, está en que logra, sin manosear ni lisonjear al entrevistado, que este se sienta cómodo y libre en su presencia y le cuente, no solo sus momentos de apoteosis y sus gloriosos ascensos al podio, sino también las experiencias más dolorosas y amargas que acompañaron su camino, no siempre fácil y expedito, hacia la consagración.

Andrés Salcedo

Leyenda viva del periodismo deportivo colombiano